斗哥的幸福轉運站

把自己活成一道光，因為你不知道，
誰會藉著你的光，走出了黑暗。 ——詩人 泰戈爾

張光斗 著

點燈三十加五的金心祝福

01 給我們的幸福

斗哥不是一般說故事的人，他的肩上背負了強烈的使命感，不論書寫、辦活動，或主持節目，他像一個堅定又深情的戰士，在日益晦暗的世道裏，近乎頑固的散播著正能量，數十年如一日，掌著手上的燈，希望點亮每個人的心靈。

我們希望跟著他，一起探訪那些美好故事發生的地方；我們更希望能和斗哥故事裡的主角促膝長談，和他們變成摯友。

這就是斗哥賜給我們的幸福。

——王新蓮（資深音樂人）

02 逆境中的暖流

有些心虛的畫上文字在斗哥的新書上，單是書名就彷彿能在運轉中感受到幸福，這絕對是本不需推薦就想翻閱的好書。

——吳英萊（前器官捐贈協會秘書長）

三年來疫情的襲擊，弄得人心惶惶，面對健康及生死有太多的失落及沮喪，常讓人忽略了可抓取當珍惜的美好。

而斗哥的文章生動有趣，平鋪直敘中看到暖暖的涓涓細流。並非事事順遂，卻能在逆境中感受到另一股力量；遇到病痛生死，也可在深摯情誼的寬容與信任中揮別。篇篇好文提醒，皆能轉換思維，發現到其實幸福就在你身旁。

喜歡斗哥的文字，總能在簡單的生活中，看到許多細膩的情感及生命的亮光。有幸踏上《斗哥的幸福轉運站》，發現有時一個轉念，幸福就會向你揮手。更重要的是，原來你我，也可成為轉運幸福的另一個起點站。

03 前面還有路

——巫錦輝（罕見疾病尼曼匹克病友聯誼會長）

不記得是怎麼認識斗哥的、是上節目專訪、是出席活動⋯⋯總之你會被他熱情誠懇聲音身影吸引，當電波頻率接近的人、總會經常不期而遇，我們常在轉角處遇到就聊起來了。

我喜歡閱讀斗哥的文章、字字句句熱情正向鼓勵常處負壓力低潮的我，動人心弦字句讓我看到希望、看到前面還有路可以走。

盼這本好書可以幫助更多人、找到自己人生的道路。

04 人間菩薩行者

——汪詠黛（臺北市閱讀寫作協會創會理事長）

只要看到斗哥的大作問世，閱讀寫作協會的義工幹部總會立刻轉傳給百餘位會員，拜讀之，學習之，因為大家非常喜歡張光斗老師筆下「世事洞明皆學問，人情練達即文章」的人間況味。

我們都是看《點燈》節目長大的（呵呵，跟年齡無關），在這位人間菩薩行者製作的節目、書寫的文字裏，我們看著、聽著、讀著、說著、想著，一起體會人間酸甜苦辣，又哭又笑；接著，陸續加入《點燈》義工行列，實踐《大方廣佛華嚴經・普賢行願品》經文所言：「我此隨學無有窮盡，念念相續，無有間斷，身語意業，無有疲厭。」

斗室有光，光光相照，向前有路。恭喜人生七十才開始的斗哥「又」出新書，也祝福我們陣容愈來愈龐大的《點燈》家族，跟著文字心燈，讀做一個人、讀明一點理、讀悟一點緣、讀懂一顆心。

05 願力浩瀚

——林秀玲（花囍烘焙坊／花花教室）

彷彿與斗哥相識多年，嚴格來說是先從認識他的聲音開始。二〇一一年，聖嚴師父《他的身影》影集出版，數不出看了幾次，每次都感動莫名。當時也陪伴我走過許多看似走不下去的日子。每每聽到〈您的遠行〉，旋律一起，心緒觸動，就是淚流滿面。透過這些種種，斗哥製作的影音與文字，讓師父的悲願得以留下美好的時刻，弘法的精神被許多人看見，影響無數人的生命。

也許是因緣聚合，有一天陳和長菩薩跟我說，要帶一個重要的人來我店裡，第一次見到斗哥，嚴肅中帶些謙遜，個人氣質鮮明，偶爾他不說話，還讓我有點緊張忐忑。幸而，閒聊之後，他明白我在雲林推廣食農和藝術非常辛苦，立馬答應我，要相約一群朋友來支持在地，支持我做的事。他就是一個這樣有江湖氣概、真性情的人。

生命可以很渺小，願力可以很浩瀚。

斗哥的文字隱藏著看不見的能量，如黑暗裡的火光，引領著我們，縱使面對生命的殘酷，依然能讀到人性的溫暖。關於人事，外表豪邁的他總是可以用一顆柔軟的心，撫慰他人內在的坎坷，給予失落者大大的關懷。

很幸運的這次可以先拜讀這本《斗哥的幸福轉運站》，相信斗哥的著作，如暗夜星子閃耀著「光」，透過文章裡的字字句句，傳遞一顆顆良善的種子，也讓人心有安頓歸屬的所在。

06 掌舵幸福列車

——林德妹（退休媒體人）

阿斗八月要出新書《斗哥的幸福轉運站》。我認識的阿斗，會開車卻不敢開，因內心有揮之不去的陰影變成他長大的內傷。但他有位掌舵的賢妻，他說：「她是我這一世極為重要的善知識！」

四十歲的阿斗，因為賢妻不適應日本生活，聽妻的話，班師回臺。聽妻的話，開始學佛。因他原具有的福德因緣，水到渠成，成為陪同聖嚴師父四處弘法的隨身侍者，從此開啟完全不一樣的幸福列車；並藉由《點燈》節目，作為幸福轉運站，就想四處傳播希望與愛的種子。

能學佛本身就是福報，而聽妻的話，駕駛幸福列車，廣結善知識，開啟完全不一樣的人生。

我認識的阿斗，純樸厚道本質，經常自我省察。在報社時只知他是駐日特派員，沒有任何交集，卻因同為聖嚴師父弟子，我們成為相處自在的好朋友。他的人，有啥說啥。直心就是道場，一直想讓人搭上幸福列車，活出生命價值。

祝福《點燈》這輛「幸福列車」持續行駛下去，讓更多的人得以上車，邁向幸福大道。

——封德屏（《文訊》雜誌社社長）

07 星光如斗，照亮前行路

斗哥的名號早已遍傳。

二〇一二年，雙眼全盲，在黑暗中創作三十餘年的作家梅遜，完成《梅遜談文學》，爾雅出版社的隱地先生慷慨應允出版。光斗知道這事，買了三百冊送給各學校、圖書館，還邀請隱地先生、我、祖光一起上《點燈》節目，向觀眾介紹梅遜的傳奇故事。二〇一四年，《點燈》頒給梅遜「點亮生命之燈」獎，之後逢年過節，光斗都不忘探視梅遜、祖光這對感動人心的父子。

平日我單純與文學界、出版界往來。光斗不同，他長期從事媒體工作，活動力強又古道熱腸，加上製作《點燈》，接觸各行各業，文學以外的藝術表演者、影視工作者，他也熟識。只要我有這方面的需求，他就會義無反顧動員好友前來助陣。

我們共同的朋友不多，見面常因策畫、出席活動，但總有足夠默契，也許，我們都選擇了一條人煙稀少的路。每當我向他致謝，他會說：弱勢當然要幫助弱勢，弱勢應該團結起來！

我服膺此理，我們彼此關切、勉勵。但光斗比我陽光、勇敢，他說：要感激順境，更要感激逆境，逆境比順境多，才能鍛鍊自己，反省自己。

他讓我相信，生命在極度脆弱、黑暗時，仍能發光、發亮！而人與人的緣分，起滅之間，也非無跡可尋：對一個人，一件事，彼此同情共感，就算天涯海角，這些人，終會相遇成為好友！恭喜《點燈》三十週年，繼續闊步前行！

——胡幼鳳（資深媒體人）

08 莫以己燃燈

認識斗哥已四十多年，初識時，他是《民族晚報》影視記者，我是《民生報》的菜鳥，我隨大家稱呼他為「阿斗」。這些年常拜讀他在《人間福報》和《聯合報》的專欄，他筆下寫的人物我略識一二，而他下筆深情有味又筆觸幽默，尤其是由生活中精煉的智慧，總令我在文章集結成書後，捧讀再三。

在文章之外，我最佩服的是他能夠一本初衷，創立《點燈》節目三十年來，他始終奉行聖嚴法師說的「自我精進，與人為善」。

他能如此自我精進，莫非天賜他一日三十六小時？他在日本擔任《民生報》特派員時，深入影劇之外的政經、體育和圍棋領域，協助臺灣導演拍片取得日方資源，還攻讀取得日本大學放送學士、明星大學碩士。

學成歸國後，一九九四年，他在華視開創《點燈》節目，以感恩的故事召喚社會的正能量，叫好叫座，我羨慕他真好命，背後必有金主撐腰。但後來看《點燈》周遊各電視台，播出時段愈來愈晚，追問之下始知，我以為的金主們，無法長期支持，到頭來還是要他自己想辦法。後來承他邀請擔任點燈基金會的董事，於是隨眾改稱他為「斗哥」。

不忍見他散盡家財當苦主，董事們合力為基金會辦活動籌錢，希望為《點燈》添油加柴，但好不容易有一丁點盈餘，怎料他竟轉手就把錢捐給了他認為更需要的公益團體。這兩年他做廣播、寫書、演講，為《點燈》開拓網路和Podcast的《貪生怕死》和《說聲對不起》節目。我相信德不孤必有鄰，但也要奉勸斗哥與人為善，莫以己燃燈，這個社會更需要長長久久的明燈照亮黑暗角落。

09 轉一轉，幸福長在

——胡毓豪（專業攝影的老頑童）

斗哥這個人，真的不知如何說他才好。姑且就說：做人真誠、老實，時時心存善念。所以，他能從戒嚴時代的「修理業」——報社，幡然脫身，並創辦《點燈》，廣推人間悲苦中的溫情故事，介紹奮鬥不懈的志士。

他自己一路吃苦，卻可昂然暢談溫情，這即是人生最大的「幸福轉運站」。無緣親近他「本尊」，讀他的書喜樂同然。縱然以前不曾認真閱讀他的著作，此際開始享受當下，即可同浸幸福之樂。

享受幸福，必須要會轉、能轉，斗哥將告訴大家，他如何的轉，轉成吃苦像吃補，轉地獄為天堂。菩薩有苦不受，人人皆是菩薩，所以只要轉一轉，幸福長在。知否？能行否？

今年，《點燈》三十週年慶，斗哥邁入七十老，他以《斗哥的幸福轉運站》為禮，祈願人人「轉運」，永遠離苦得樂。

10 善心、善行與善緣

——秦自力（法鼓山、臺大醫院志工）

沒有華麗的文字，卻有著樸實的筆觸。真誠地記載著每一段真情流露的故事。每一段故事的名字，來自斗哥真實的生活發想，有別於其他的作者，令讀者更貼近生活的周遭事務。

因為心存「善心」，時常以「善行」貼近生活，也因此結識了許許多多的「善緣」。在《點燈》三十的日子，遇見《斗哥的幸福轉運站》，為您「點一盞明燈，築大善心起」，為這混沌不明的世間，開啟人性最真誠的心燈。

11 小故事大道理

——高明法（曾任《聯合報》高級資深績優記者、嘉南特派員）

張光斗是親和力很強的人，他廣結善緣，創造出非凡的功業。他長期熱心傳播生命正能量，希望讓社會發光發熱溫暖。他不辭辛勞，到處奔波，樂此不疲。我和他是世新同學，我是新聞工作者，對他的這種精神，由衷的敬佩！

張光斗製作的電視節目、著作的書、發表的文學創作，所介紹描述的人物，乍看好像很尋常平凡，但是深入觀賞閱讀，往往令人深受感動。他所述說的內涵，洋溢著感恩、關懷、人性光明、愛情友情的芬芳高貴，能扣人心弦，引起共鳴，深深體會人生的意義。

張光斗的作品最特殊最動人的是：生活中的小故事，卻闡述出人生的大道理。人生中的小事，但突顯出生命的真諦和意義。生活中平淡的點點滴滴，化為發揚佛學的禪理和力量！

祝福《點燈》常照人間，《斗哥的幸福轉運站》新書溫暖人心。

——張慰慈（作家、佛教宣教師）

12 小故事照亮幽冥暗處

教育部重編國語辭典修訂本裡，對「斗室」的解釋如下：形容狹小的房屋。元．盧琦〈至正己亥夏予遊壺山宿真淨岩即景賦詩奉簡古道了堂二師〉詩：「欣然坐我斗室底，滿室嵐氣生清秋。」也作「斗居」。

一看到書名《斗哥的幸福轉運站》，不覺莞爾。和斗哥相識是因為我們在網路上推廣藥師琉璃光如來聖像結來的好緣，至見面後，竟然一見如故，其實數來我們真正見面的次數有限，但是彷佛過去有著一起走過江湖的情義。猶記初次茶敘，他勉勵我：「妳做這麼多事，不該叫小院子，佛教徒都太謙遜了。」然後這次我看到了幾個標明為「斗室有燈」的篇章，就想把他當初的勉勵回贈給他。

新書中每一個故事都是一段路程，「二百五的告別」——用簡單敘事的方式描述，全文沒有一句惋惜和落寞的情懷，但是我卻深深感受到了那樣深沉的悲傷，這是年過半百的風霜才懂得的默默。這其實也是一種幸福。

海邊燈塔上的守望亭，也是在一個狹小的空間裡，做著守護指引迷途的朋友找到光亮的一個重要工作。祝福《斗哥的幸福轉運站》一路暢銷長紅，照亮更多幽冥暗處。

小暑後二日，酷熱，我泡了一杯好茶，高舉祝福斗哥，作為一個發了願的佛子，幸福的找尋一切無礙！

——郭惠芯（讀書會帶領人）

13 星光滿斗，隨方《點燈》

光斗的書幾乎都寫他身邊交錯的朋友。大小人物性格有別，際遇各有憂喜酸辛，但他立意從複雜的人情事故中抽繹良行善意書寫，所以，讀光斗的書必須分篇慢看，因為太甜太暖。

在眾聲喧嘩爭做太陽，因而閃瞎眾人心眼的時代，光斗勤做《點燈》人，用心御筆，記下珍貴的人性微光，於暗夜中指向天堂。

14 下一站是幸福

——陳名今（退休媒體人）

很多的人，用盡一生的精力，尋尋覓覓在追求生命中的幸福轉運站。斗哥的幸福轉運站，有無比的寬廣深邃，在他那安裝了四根支架的心中，支撐他無悔的付出，邁向世界，凡是聖嚴師父到過的角落，皆能續師慧命，宣慰師父宣講佛法傳人，而且最讓他欣慰的是，雖然師父不在了，世界在動亂中，各地的佛弟子，都仍道心不退，勇猛精進。

漫長的旅程，龐大經費，和待機過關偶遇刁難，而且前方常有不可知的戰亂，讓他們這團隊精疲力竭。但想到將要到達之處，法音梵唱悅耳，莊嚴祥和，不自覺地升起了一個喜悅信念——下一站幸福。

15 他的書是活的

——陳君天（電視節目製作人）

每一個人的記憶裡，都有那麼幾個傳奇人物，和幾段精采的故事，在茶餘飯後和好朋友分享。有的人專門搜集這種傳奇創造出另一種不同型式精彩在他的世界中流傳。

小時候，我很喜歡看莫伯桑的短篇小說，其中有一段寫一對年輕的情侶，互送聖誕禮物的故事。他們都是普通人家，沒有足夠的錢去買昂貴的禮物，不過女孩子有一頭長長的金色秀髮，而男生有一塊祖父留給他的懷錶，只是缺一條錶鍊。

那年冬天，兩個小情侶都在挖空心思，構想要送給對方什麼樣的禮物，直到聖誕夜子夜鐘聲，響起的時候，男孩子在禮拜堂大門前，終於看到他心儀的女生披著大毛毯，在紛飛的風雪中向他走來，他們牽著手進了教堂，在長廊的一角，女孩子拉下了毛毯，很高興的從毯下面亮出了一條亮晶晶的錶鍊，遞給她的男朋友，這個時候，男孩子發現女生的長髮剪短了，更讓他為難的是，他沒有勇氣，把他要送給女孩子的禮物從口袋裡拿出來，那是他賣掉懷錶，買來的一把瑪瑙梳子。

這個故事很多人讀過，很多影劇作品，採用這個故事，彰顯愛情的可貴。當時的我只是覺得很遺憾，我常常說給別人聽，大家也都覺得很遺憾。

後來，我漸漸從這個故事中體會到愛情的可貴，但遺憾感不變。再後來，這個故事讓我只覺得，愛，是多麼的可貴，已經沒有什麼可遺憾痕跡。原來，這些人物，故事，都是活的，它們的解讀隨著你的成長而變化，從另一個角度來看，又何嘗不是你成長的養分呢？

搜尋這些素材，在我們的社會中是一種行業，幹這種行業最多的人叫記者，他們的作品，是否能成為年輕人成長的養分就各憑良心了。

四十年前，我認識了一個有良心的記者叫張光斗，他一直做這種蒐集的工作，孜孜不倦，轉眼間，聽說他已經七十歲了，繞過地球一周，見過奇人異士無數，他把這些珍貴的素材，做成電視節目叫《點燈》，也寫進他的著作，別說你以前看過，不信再看看，不一樣了，因為他的書是活的，可以是你成長的養分，也可以是你退休後的下午茶。

16 把身體照顧好，方能燈火長明

——陳維熊（恩主公醫院副院長、榮總直腸外科醫生）

我是動刀的，阿斗師兄是動筆的，我們居然有緣成為好友，全是聖嚴師父的庇蔭，讓我們在菩提家園有了相識、相知的機會。

每次看到阿斗師兄要出新書，我都特別歡喜；請秘書訂了一大落，約他簽名，然後分送給親朋好友。當我抱著書本回到車上，雖然路途並不遠，但已經讓我感受到文字創作的不容易，那份厚重感，如同生命，值得珍惜啊！

得知阿斗師兄的新書《斗哥的幸福轉運站》即將問世出版，而且是他製作的《點燈》節目三十週年的慶祝活動之一，這豈不是雙喜臨門了？我更要替他鼓掌慶賀。

祝福《點燈》的燈火長明，祝福這本新書可以慰藉更多的人心；唯一要叮囑的是阿斗師兄要把身體照顧好，我可不願意在醫院見到生病的他。

17 溫暖、真誠、動人

——陶曉清（音樂人、廣播人、文化人）

張光斗又要出書了，當他邀稿時，我一方面佩服他筆耕甚勤，一方面感到慚愧。我當時承諾要寫的書，經過了幾年，還一直在難產當中，而他幾乎每年都出書，而且很受歡迎。他馬上安慰我說，因為他有兩個專欄，才會很快累積出書的文字。他就是那樣溫暖的一個人。

這一年是《點燈》三十年，所以他邀了三十位友人幫他寫「序」。身為其中之一，我很開心。我們認識很早，但熟識起來是十多年前因為一起籌辦「九二一地震十週年」活動，自此，在彼此的生命中都給對方跟我們的家人之間，留下了一小塊溫暖的地方。君子之交一般，並不如膠似漆，但每隔一段時日，我們總會相約聚會，吃飯、聊天、交換彼此的近況。

讀他的文字，知道他是一個多麼珍惜情誼的人，在他筆下出現的每一個人，我都能感受到他滿滿的「情」。同時他總是充滿了感恩，我有時都會認為他始終是慈眉善目的。不過我記起，他曾經非常生氣的在一次他認為不合理的會議中，憤而離席的往事。所以我不但珍惜跟他的情誼，也好喜歡他就是那麼真誠的一個人。用他擅長的文字，留下人間一個個動人的故事。

最近知道他已經意識到自己是個老人而要「慢下來」，希望他時時記住，只有擁有健康的身體，才能慢慢完成想做、喜歡做的事。我們彼此互勉吧！

18 利人利己的菩薩行者

——單德興（中央研究院歐美研究所特聘研究員）

今年適逢張光斗先生製作《點燈》節目三十週年，《斗哥的幸福轉運站》一書出版，正是此節目而立之年的第一個慶祝活動。全書精選作者在《聯合報》的「幸福轉運站」與《人間福報》的「斗室有燈」的專欄文章，共五輯，分別記錄了「點燈」一路的軌跡，多年交往的深厚友誼，家人之間的濃郁親情，健康與疫情的覺察省思，以及日常生活體悟。

光斗先生文如其人，人如其名，充滿真性情，不僅「把自己活成了一道光」，並以生花妙筆寫下精采的人事物，傳遞正能量。身為聖嚴法師貼身弟子，張先生謹承師教，不僅為別人點燈，也為自己點亮一盞光芒四射的大燈，不僅為他人轉運，也為自己轉出廣結善緣的好運，實為利人利己的菩薩行者。

19 不似推薦文的真心推薦

——程志賢（腦麻歌手）

自手機中收到這訊息，「拙作新書《斗哥的幸福轉運站》，是《點燈》三十週年的第一彈；懇求您賜予一篇情真意切的推薦文，也好紀念。」我就矇了；但這也不是第一次矇了，二〇一一年，有人邀請我當講座的講師時，不只是矇了，簡直是暈了。

試想，會有人找一位說話不利索又口齒不清的人來擔任需要長時間說話的講師嗎？會有人找一個平平無奇名不見經傳的人來幫忙寫新書的推薦文嗎？

您想得沒錯，這人正是斗哥，我是從二〇一一年年中錄製《點燈》節目時，才認識斗哥的，原以為錄完節目就結束了，沒想到斗哥不肯放過我，年末便提出了要我當講師的想法，一開始我是堅決不肯的，但斗哥卻早已安排了一切，不論是安排講座的主持人用問答方式進行，或是建議我事先設計題目大綱及回答內容等；都讓我無可反駁地答應下來。

對了，忘了介紹我自己，我叫程志賢，一位中度腦性麻痺患者，走路歪歪斜斜的，講起話結結巴巴，學唱歌學了三十幾年，參加歌唱比賽無數次，入圍得獎的沒幾次；介紹完畢，謝謝大家。

說實話我並不會寫推薦文，不過家裡有幾本斗哥的大作，每當讀完，不論情感景物，都會感到身歷其中，在《斗哥的幸福轉運站》中有一篇〈國外尋廁記〉，讀完後不禁會心一笑，畢竟是每人都會碰到過的事情，怎麼到了斗哥的筆下，竟有了「山窮水盡疑無路，柳暗花明又一村」的感覺了。

斗哥，請原諒賢弟這不似推薦文的推薦文，真的就如您所說的，全當紀念了。

——黃國琴（前中山堂主任）

20 指引到達幸福目的地

還記得二〇一五年、一六年，點燈基金會在臺北市中山堂舉辦的感恩演唱會，「哥哥爸爸真偉大～向軍人致敬」、「迎著光～看見生命勇士」。精心籌劃與高水準的演出，感動了無數觀眾。我的母親和久未謀面，從美國回來的小舅舅，也躬逢其盛，並肩欣賞了「哥哥爸爸真偉大」，成為姊弟倆最後一次共同擁有的美好記憶。

卅年來，點燈基金會歷經艱難，但初心不移，品質不變，始終帶給我們最真摯、最寶貴的啟發，而且不斷地超越自己，拉高視野，在二〇二三年推出新的節目《說聲對不起，我要謝謝你》與《貪生怕死》，直探幽微人心。

當然斗哥的好文章則又是一大亮點，他像個引路人，以機敏又溫暖的心思，看盡人生百態，以平易又生動的文字，展示他堅毅、曠達的人生態度，將人間的悲歡離合化作如歌的篇章，指引我們到達幸福的目的地。

《點燈》卅年，請一起為這個好品牌點閱、分享、按讚，祝福《點燈》永續經營並不斷升級。

——黃瑞南（退休媒體人）

21 幸福．轉運．讚！

聽到阿斗又要出新書，心中十分高興。他寫的書都很正面、而且喜歡的人多（從他送我的好幾本書，最後都被要走或無緣無故地不知所終窺知），他的書有廣大的讀者群，對時下這個亂世風氣，肯定會有一定程度的導正作用。

光斗兄早在留學日本以前就以好文筆及敢言，傳聞報界同儕，中年隨侍聖嚴法師以來，不但三十年間《點燈》節目製作不斷，近年更是連連舉辦大型公益活動，且每年出書。他有真性情又文筆生動，什麼主題信手拈來都可化成正能量，已然深具「我輩鼎公（王鼎鈞）」的架勢。尤其，那本演繹師門三十三訓的《度》，更是燴炙人口。一路走來，張光斗宏揚佛門師道的執著與全心奉獻公益的毅力，令人想不佩服都不行！

但今次這本新書為何取名《斗哥的幸福轉運站》則令人費解。已經幸福的人為何還須再轉運呢？再轉運幸福不就都去了了啦？我從 LINE 中臨時受命要為他的新書寫兩句話，卻因人在紐約還無緣拜讀內容而百般狐疑。依我素來對他的理解，他的新作還不如直接叫「幸福．轉運．讚！」來得穩當，否則，難道是近日針對他仙逝師父的渡化又有了更新的體悟？

可一出手就叫人猴急地想一睹新書內容，該不會是另類的出書手法吧！

——黃筱竹（愛閱讀的瑞典客）

22 珍惜感恩身邊因緣

人生道途，千迴百轉，起伏無常，當我們一次次站在選擇前進方向的路口，而踟躕不定時，內心就不由自主地祈求神佛保佑、明燈現前，殊不知，神佛、明燈一直都在我們身邊守護著我們。

斗哥的新作《斗哥的幸福轉運站》，對於身邊人物的細微觀察、真情互動，闡述得絲絲入扣，躍然紙上，直觸讀者不停反芻思考的心。

因為忙碌、壓力而不經意的忽略身邊好友；一個不留神，錯失了再見的機會；誰是我們生命中的「二百五」？是誰推著你跑、拖著你走，還無視於你對他（她）的無視？也許僅是短暫的相遇，也許二百五的模樣並不鮮明，但二百五確實陪著我們走過一段，雖然沒有告別，其實是根本無需告別的因緣，因為這盞明燈不曾熄滅。

誰家沒有「偏心偏到太平洋」的戲碼？扛著「偏心」的陰影一輩子，渾然不知如何放下。聽聽斗哥與中研院院士王正中的故事，委屈肯定竄逃無蹤。

近代婚姻，處處危機，而持久且能患難與共者，猶如瀕臨滅絕的物種，難得一見。這也不禁令人好奇，是什麼樣的相處方式，不但在大難來時相互扶持依偎，更是卿卿我我一輩子？答案就在故事裡！

什麼是言行合一？如何展現對工作與生命的熱忱？如何讓受難者有被同理的感知？如何在處理危機時的義無反顧與堅持？抗癌勇士劉忠繼在「言行合一」裡為讀者們點上了他那盞永不熄滅的明燈。

歲月的腳步總是走得比咱們扳指頭數歲數來得快，增加的數字只是個表象，心態才是重點，咱們來一窺斗哥是如何在進入隨心所欲「邂逅七十」之際，依然保有赤子之心！

篇篇精彩，有血有肉，樸實無華，真實呈現日常生活與情感的《斗哥的幸福轉運站》，在在的提醒著我：好好珍惜身邊的人，為能擁有的一切而感恩，那個昨日擦肩而過的因緣，或許正是某一個「幸福轉運站」！

23 繼續前行

——楊嘉（音樂人）

收到阿斗邀稿的時候，正在進行我的美國公路之旅，而動筆之際，正在前往鄉村音樂之都的路上，不知怎的，想到阿斗的書，阿斗的人，忽然想起鄉村老將 Willie Nelson 的歌〈On the Road Again〉。

阿斗也是個一直在路上的人。

Willie Nelson 一站一站，推動的是他的音樂，而阿斗滿臉笑容，聲音不小，一站一站推動的是一種直接、正面的生命能量。

我不知道阿斗有什麼使命感，也從來沒問過。我們每次見面不是吃飯，就是吃飯，他傳來的文字，或是發表的文章，不是這個名人的故事，就是那個朋友的啟發，似乎他認識許許多多的好人，或是他看到的都是別人好的一面。而他就是一個推銷員，穿梭在這個世界的好人好事中間，把能量傳播到各個角落。憑著這股旺盛的生命力，一站又一站，阿斗分享出來的文字，都化成了音符，往下一站奔去。

——楊豐榮（一個平凡的愛書人）

24 真善美的持續書寫

二〇二三年六月下旬，斗哥讓我幫他的新書《斗哥的幸福轉運站》寫篇推薦文，讓我受寵若驚。

記得以前讀書的時候，就蠻喜歡看斗哥他在華視製作的《點燈》節目，因為該節目內容，不但將社會上的真善美，滿滿的正能量呈現在螢光幕前，也時時鼓勵人們向善，讓這盞善燈不知照亮了多少人及撫慰了多少人的心。

我想在我們的人生道路上，多多少少難免會有錯過及遺憾，但斗哥將我們錯過的這些逐一找回來，讓我們可以彌補這個缺憾及仔細品嚐其中的美好幸福滋味。我們都可以在閱讀斗哥的文章中，感受到他在字裡行間的細膩心思。

多年以來他一直都在持續不斷地寫作，記錄這個社會上的真善美，出版的作品也總是頗受好評。我很榮幸有機會為斗哥寫推薦，期待他能繼續帶領著我們發現這個社會的美好幸福。

25 用心生活，寫出共鳴

——溫曉風（屏東市仁愛國小退休校長）

對我來說，斗哥是名人，是當代電視熱門節目《點燈》製作人。十年前與斗哥相識，因為他的書《在黑暗裡摸到光》，後知後覺才知道原來他也是作家，從此開始讀他的著作。

我一向喜歡質樸無華、親切自然卻又涵義雋永的文章。斗哥寫書題材大多取自親身的遇見遇知，閱讀他的書，就像他在你面前說身邊活生生的小故事，時而嚴肅，又時而詼諧；時而反省，又時而調侃；加上他的慈心滿懷的體悟與見解，主旨非常明確且充滿正能量。因此，常常讓我會心莞爾又感動不已。也許是因為生長於同一個年代，我們都是四年級前段班的孩子，生活與求學的經歷背景類似；他寫家人、寫親戚、寫同學、寫朋友、寫長官、寫同事、寫生活與寫工作，總是能引起我深深的共鳴。

欣聞斗哥的新書《斗哥的幸福轉運站》誕生，我是斗哥臉書的頭號粉絲，幸福轉運站的內容當然也都先讀為快了。我們常說文如其人，我要說斗哥是一個幽默風趣的人，在他的〈國外尋廁記〉可以窺見；斗哥也是一個真情感恩的人，在他的〈二百五的告別〉、〈言行合一就是他〉可見一般；斗哥更是一個情感細膩的人，看〈大難來時相依偎〉、〈偏心偏到太平洋〉表露無遺；他還是嚴謹看待並期許自己更精進的人，你看他的〈邂逅七十〉就會明白。總之，斗哥是用文字記錄了他的生命故事，他真是一位用「心」生活的人，總是能看到旁人看不到的隱藏在角落的真情真意與真理。

26 有暖流不絕的書

——劉秀枝（臺北榮總特約醫師，陽明交通大學臨床兼任教授）

今年一月接受斗哥的《貪生怕死》播客專訪，斗哥說我較年長，可以稱他「阿斗」，我怎麼也喊不出口，還是跟著叫「斗哥」比較自在。果然，在放鬆的心情下，一小時內，我把心中的話都掏出來，連人生最後階段怎麼走得快，而不會拖累他人的想法都脫口而出。

節目播出後，我稱讚他引導得好，他回覆：「哈哈！是您自己有飽滿的內蘊啊，我只是敲敲邊鼓而已。」果然是個幸福轉運站，一股暖流通過全身。

和斗哥初次見面遠在三十多年前，應邀上電視《點燈》節目，與聖嚴法師對話有關墮胎議題。坐定後，我隨口問：「桌上的杯水可以喝嗎？」他回答：「可以，這不是道具，我們也是有職業道德的。」讓我印象深刻，覺得這位年輕製作人說話實在、幽默，且自尊、自愛。

有幸預讀《斗哥的幸福轉運站》，篇篇精彩，生動活潑，幽默有趣。書中許多內容，相信許多人都會心有戚戚焉，例如〈國外尋廁記〉，讓我們覺得並不孤單。〈邂逅七十〉太有趣了，來回伊斯坦堡機場，兩次都讓機場工作人員審慎查核斗哥的護照，才肯放行讓他走六十五歲長者的通道，讓他樂得「雖然我的口罩還在臉上，但是我的笑容肯定如融化的奶油，瞬間流了個滿地」，好有成就感！

精彩的文章，幸福的感覺，只有自己讀了此書才能領會。

27 領略人生好風景

——劉延青（人間福報社長特助）

初識斗哥，是一九八五年底到東京採訪羽球年終大獎賽——算起來有點嚇人，這竟然已是三十八年前的事了。

那個時節的東京，挺讓人瑟縮的。每晚比賽結束，從代代木體育館搭地鐵趕往聯合報系東京辦事處，把稿子傳真回臺北；沒有網路的時代，跟時間賽跑，跑到終點再搭地鐵回旅館，夜更深、人更淒冷。直到有一晚，當時《民生報》駐東京特派員斗哥，在目黑驛附近的食肆，請我吃道地的日本家常菜。樸實的木桌木椅在暈黃燈光下，顯得特別溫暖；店老闆的看家手藝加上斗哥的殷勤款待，驟然之間，東京不再寒冷，且時隔多年，那餐飯的滋味猶在齒頰——真幸運，我這麼早就踏上斗哥的「幸福轉運站」。

東京因緣之後，與斗哥有時天南地北、有時東半球、西半球各居一方，但是一直追隨著他製作的《點燈》——挖掘滇緬遠征軍故事、詠唱哥哥爸爸的偉大，從各種社會層面、各種心靈狀態，帶領大家領略人生好風景。而他為皈依導師聖嚴法師所寫的隨師行記，不斷推出續集，採訪、撰寫過程，堪稱「能為難為」，除了讚歎，更欽佩這座「幸福轉運站」是如此的亙久彌新。

28 經營《點燈》毅力可佩

——劉美霞（印刷裝訂業者）

斗哥要出新書，書名是《斗哥的幸福轉運站》，我就算再忙，也該道賀一下。

我是因為參加《點燈》節目，講述我在自營的印刷裝訂廠與幾位慢飛兒共事的故事，與斗哥和《點燈》的工作人員結為好朋友。我對人際關係的經營也許有點遲鈍，但對食材與美食的關係，卻十分敏感。金牛座的斗哥每次都對我烹製的料理照單全收不說，還非常大聲地給我讚美與鼓勵。

從事印刷裝訂多年的我，對於書本的愛好，正如斗哥面對美食一樣。斗哥每篇文章的書寫都很有感情，他的每本新書發表會，我都會出席。

斗哥三十年努力經營《點燈》的毅力可佩；《斗哥的幸福轉運站》新書等於是點燈三十的第一個慶祝活動，恭喜斗哥，雙喜臨門。

——劉麗紅（電臺主持人）

29 愛我們所愛

「交得良友的唯一方法，就是自己做他人的良友。」——愛默森。

斗哥就是許多好朋友中的真心良友，從他平日的為人處事及在這本書中許多的篇章裡，皆能看到和他做朋友真是一大福氣。不管時間過去多久，你都可以從他細數的點滴中知道他對朋友的滿滿在乎和完全信任，很開心我也能有福氣得到這樣一位良友，也榮幸曾經成為他真摯筆觸下的真情人物。

《斗哥的幸福轉運站》透過斗哥時而真情、時而幽默地分享，每一篇內容皆讓人猶如身在其中，彷彿和他一起在波蘭、以色列緊急又無奈的尋廁，也和他一起認識了解他的每一位摯友，體貼心情、心疼離別，讓人不自覺地想一口氣讀完整本書。

生活在速食時代中的我們，真應好好向斗哥學習，單純向上、愛我們所愛，記錄生命中所有美好！

30 斗哥就是不一樣

——潘誌敏（志工專業戶）

接到斗哥要我寫推薦序的邀請，我第一時間的反應是「斗哥傳錯了？」因為能為大作家寫推薦文的一般不是社會賢達，就是各行各業占有一席之地的頂尖人物，而我什麼都不是，頂多稱得上是一個奉公守法，安分守己，致力經營一個幸福、和諧的家庭，四十年的家庭煮夫罷了。

所以，斗哥就是不一樣。

跟斗哥的熟識起源於《點燈》，我們有共同的好朋友；然後我們的互動愈來愈頻繁，直到去年斗哥邀我加入點燈基金會志工團，接下來再受邀加入《點燈》製作團隊，一份誠摯的友誼就更加緊密。

斗哥在我心裡一直是一個拚命三郎與工作狂，執著好事，為人信用，待人真誠，更是一位貼心的大好人，凡事他都為人設想周到。

拜讀過斗哥幾本大作及刊登於報紙的文章，在我心裡始終是一位崇拜的才子。即將問世的《斗哥的幸福轉運站》一書，記載著他對生活中人事物的敏銳觀察，還有斗哥體悟親情與友情的人生路，深深吸引著我，真是值得細細品味的一本好書，進而推薦給大家，與你們分享！

31《點燈》三十，滿載幸福

——蔡瓊瑋（中華民國台灣黏多醣症協會創辦人）

三十不是數字，是情緣；三十不是年紀，是閱歷；
三十不是三姑，是感動；三十不是六婆，是家常；
三十不是三皇，是凡夫；三十不是五帝，是俗子；
三十不是三綱，是方圓；三十不是五常，是規矩；
三十不是八仙，是過海；三十不是矯情，是真愛；
三十不是人為，是天意；三十不是相爭，是禮讓；
三十不是公婆，是媒婆；三十不是三十，是永遠。

32 認真過每一天

——賴秀珠（髮型設計師）

認識斗哥，是這二年的事。記得斗哥來我們店裡剪頭髮，很安靜，由於每個月都會來我店報到剪髮，就慢慢的有聊天的機會。

得知斗哥還是《點燈》的製作人，原來聖嚴師父的節目是斗哥製作的，想來應該是個名人吧？於是谷歌了一下，真的是看不出來，這麼低調的人，居然是佛門節目的製作人啊！

於是，我又好奇的問斗哥平常都在做什麼事情呢？斗哥說，他每天都會拜訪朋友洽談工作，每天也會拜佛做功課。我想，這樣忙碌的人，每天都有在做佛門功課，心中就更加欽佩了，看來這位先生是認真的人呢！

有一天，張媽媽來店裡剪髮，描述斗哥小時候被觀世音菩薩救度的事情給我聽，我聽得很驚訝也很感動。菩薩救度人的真實故事，由當事人現身說法，更加的真實貼切，所以斗哥跟佛門有很深的因緣喔。有一次，我問斗哥，您有出書嗎？想不到他居然說要發行了，書名是《度》，我自然是要拜讀了，內容提到斗哥跟聖嚴師父一起工作的點點滴滴細節，以及師父弘法的艱辛過程，斗哥文筆活潑生動又有趣的記錄師父的行程中點滴，其中有許多感人的事在發生著，佛法要一代一代的正法傳承，需要多少高智慧的前輩來護持發揚，看著看著我不禁流下感動的淚水。

又此著作透過斗哥本人親自在師父身邊，師父的身教深深的影響著斗哥，這實在是太幸運也太幸福了啦！而我又有幸透過斗哥的文筆，彷彿進入當時的情境感受著。我慶幸能在此生遇到佛法，尤其需要跟斗哥學習如何能這麼忙碌工作，還有這麼用功的精神。

張媽媽來我們店剪髮時，有時會說「哎呀，我兒子為了工作又出國去了，真令人擔心。」張媽媽其實也九十歲了，我看是斗哥比較擔心張媽媽吧。

佛門家庭，佛祖總是會特別照顧關照，積善之家必有餘慶。我在斗哥的家人身上，也看到了他們一家人用佛法認真過每一天，很讓我感動！對了，張媽媽也每天認真做佛門功課喔。

斗哥的 Podcast 節目《貪生怕死》是我最期待的。斗哥實在太忙，忙中還要做這麼有意義的節目，相當不容易，我猜斗哥一天要當二天用吧？

能認識斗哥，算是我的幸運，一位認真過每一天，用佛法實踐在生活上的積極型人物。這樣的人是值得我學習的，感謝斗哥邀約我寫推薦文，跟您學習在佛門的精神與韌性，認真的過每一天，感受幸福的每一天。

33 沒有賣弄，絕無虛假

——賴紫雲（資深媒體人）

一九七九年，我考進華視，任職公關，那時服務報社的阿斗很酷，絕不接受人情遊說，我們的交流只能止於老同學敘舊。我們在職場的交集時間不長，積極精進的他旋即負笈日本，中間偶爾返臺，我們會小聚，仍屬君子之交。

一直到三十年前他回臺，在華視製作《點燈》節目，當年這種被列為社教類的節目要占據報紙版面，談何容易？可是我這位老同學，不愧報社出身，不但人脈夠力，也懂媒體訴求，我這個小小的公關只不過發了邀請函，打了幾通電話，沒想到，記者會當天高朋滿座，第二天報紙版面更是滿堂彩——這是我第二次認識阿斗不同的魅力。

後來，他再次提筆，在《聯合報》與其他媒體寫專欄，那都是我在繁忙工作後的最佳精神糧食。他的專欄集結出版《阿斗隨師遊天下》、《跟著斗哥友天下》，我幾乎是書一到手就一口氣「吃乾抹淨」地看個過癮。這麼多年來，擇善固執的阿斗筆耕不輟，尤其對《點燈》節目的執著和投入，堅持媒體要盡到社會教化的責任，最是令我刮目相看。

記得初初投入《點燈》的他，稜角尚未磨圓，看著老同學為了籌措經費，爭取時段，碰碰撞撞，遍體鱗傷，著實不捨。還好他的背後有一位無怨無悔的後勤支援——賢內助，十分為他慶幸，這真的是天公疼憨人吧！

阿斗的文章以及製作的節目，和他的人一樣，溫馨感人，沒有賣弄，絕無虛假。恭喜阿斗雙喜臨門，堅持《點燈》三十年有成；又有新書與大眾結緣；作為他的老友，我可是要發揮累積數十年的公關精神，好好為他搖旗吶喊：阿斗加油！《點燈》加油！《斗哥的幸福轉運站》新書大賣！

——龍君兒（藝術家）

34 如行走的陽光照耀人間

淑芬：

那日你們離開舞鶴山中小屋，我習慣著回家「收拾善後」。驚訝著眼前開敞的房間，通透明亮乾淨整潔，較之前我努力擦拭得更勝一籌。原以為的面善是多年的相識其實是初識，吃著妳當日來訪前做的各式滷味小菜，蔬果麵包是那麼的理所當然與自然，甚而臨別時妳刻意放的一瓶一九八二年出產的紅酒，還是女兒前日發現的。

我一直在回想過往我對人的心是否溫柔體貼細膩？與人為善的我為何總與人保有一些距離？我付出給予的力道為何顯得如此脆弱無力？或許發願成為一對菩薩是你們夫妻共修之道，因發願產生如此巨大的行動力，並實踐為彼此生命的共生志願，如此無我的給予是我人生下半必修與學習的。

光斗出書在即在此真摯祝福：

願行走的陽光永遠照耀發願的種子——深根、發芽、茁壯、庇蔭。

——魏益群（上半身演唱家）

35 斗哥的溫暖值得收藏

記得在二〇一二年，《點燈》節目十八週年的音樂會表演後，獲得當時的主持人曾慶瑜的青睞，邀約採訪，就和《點燈》的製作人斗哥有了不解之緣。

之後不論《點燈》大大小小的活動，或其他的公益場合，斗哥總是熱情地邀請我參與。因為他知道藝術表演者需要舞臺，需要曝光的機會讓更多人看到，同時也是賴以為生的收入來源。

記得有次斗哥邀請我參加他的聚餐，去吃好吃的，席間認識了藝文界的大老，並簡短分享我的表演。散會後，斗哥送我搭電梯並塞了一筆我覺得有疼愛成分，卻說是補貼給我的車馬費。我知道斗哥為了《點燈》節目，荷包的景況跟我的收入一樣拮据，即使如此斗哥還是硬塞給我，表達對後輩的關愛，貼心的舉動讓我感動不已。

多才多藝的斗哥除了是節目主持人、製作人，也是知名的作家。一個好的作家，除了文學底蘊，觀察入微的功力，我覺得最重要不可或缺的就是對人事物的熱誠！

在斗哥筆下，每個角色都是原汁原味的呈現在讀者面前。讓人覺得文章中的人物好像就在眼前，那份親切感就像自己要好的親友一樣！這樣寫作的渲染力，讓讀者不僅是看文章，而是用斗哥的眼睛看萬物眾生，用斗哥的心感受人情溫暖。而這樣的作家是我所嚮往且學習的榜樣！《斗哥的幸福轉運站》值得您收藏細細品味，餽贈親友的暖心好禮！

前言

老派的幸福

——栗光（編輯／作家）

我的母親是斗哥粉，在我接下繽紛版編輯工作後興奮得不得了，只要斗哥的文章見刊，當天下班回家一開門，她就會從房裡走出來，笑瞇瞇地和我聊天。有時候得意地說：「我今天還沒看作者名字，一讀就猜到是斗哥喔。」有時候饒富興味地問：「你們斗哥怎麼總是把人家寫得那麼好，寫自己就那麼謙虛？」知母莫若女，我曉得她想表達什麼，說的是斗哥文章裡隱隱透出的厚實溫暖，形成獨特風格，一眼望去、讀個幾行，你便能感知其人。

斗哥描寫朋友時，往往把自己縮小，甚至讓自己成為主角的對照，幾個提到「吃」的場景，尤其明顯，好像僅是一個嘴巴極饞、為了吃什麼都顧不上的人。但其實，愈是這樣的時刻，愈顯現他對朋友最真的心，願意把自己放在不那麼重要的位置，照料飯桌上的每一位，聆聽朋友生活裡的愁悶。（倘若真的只顧著吃，哪裡有辦法寫出文章呢？而且，斗哥每次都是準時交稿，一次也不曾遲過！）

那是老派而迷人的互動。閱讀文稿時，我常跟著字句堆疊出來的情境神遊。一塊吃飯時，我會偷偷觀察他找餐廳的用心——朋友請客，要選特別實惠好吃的；自己請客，要周全有葷有素的客人；甚至，他連餐廳老闆都一起照顧，飯後壓低聲音對我們說：「這裡的菜很好，但疫情期間很辛苦，都快要做不下去了。」而從老闆幾次自櫃臺裡走出來與他招呼，聽得出我們不是第一批也不會是最後一批相約在這聚餐的人。

所以，有時我母親也會擔憂地問：「斗哥這樣又辦公益演唱會，又四處吃飯，會不會有問題？」稿費微薄，老實說我也挺擔心的，曾私下請教他。斗哥一笑，說自己沒有別的嗜好，就是吃吃飯，不打緊。我聽了、想了，認為很有道理，他不像我撒錢於海，一頭栽進潛水的世界裡，沒有「不良興趣」，吃吃飯，哪裡會有什麼問題呢？但，愈看愈不對勁，斗哥想為那麼多人做事，好像也算撒錢於海，眾生之海。

每次只要社會氣氛「不對了」，他總速速選定屬於自己的「戰鬥位置」，付出實際作為來改變環境。走上這樣的道路肯定很辛苦，而我忝為朋友之一，在資源上一直沒能有什麼助益，卻不僅不曾見斗哥對我有丁點態度上的不同，當我以社會一份子向他表示感謝，他亦輕巧地帶過，將功勞放在他人身上，連個累字都不對我說。

如今，《斗哥的幸福轉運站》要出版了，看著集結的篇章，忽然理解了斗哥源源不絕的能量從哪裡來，更期待這樣的力量，為翻開書的每一位轉運，看見幸福。

自序

無意間，把自己活成了一道光

幸福的滋味，我自小嚐過。

小學一、二年級，週日清早，在上舖睡醒，還沒翻身下床，就在舖上開起演唱會，將老媽與幼稚園老師教唱的，中廣兒童節目聽來的，所有記得的，全都唱一遍，曲目繁多，有〈聖塔魯其亞〉、〈金絲鳥〉、〈傻瓜與野丫頭〉、〈月下對口〉……。那時候的我，還沒受到紛擾的大人世界影響，所謂的無憂無慮，應該就是幸福的do、re、mi吧？

而後，為了成長，付出了心不甘情不願的代價。清貧的日常，每家都差不多，我不以為意；最在乎的是上學途中，同村的同學會擠著一張小臉，多少漾著幸災樂禍的促狹表情問道：「你爸爸媽媽昨晚又吵架了吼？好大聲！全村都聽到了。」或是「你又被你媽媽打了吼？我來幫你算算，你的腿上有幾條印子！」很自然的，週日清早的演唱會自動消音不再，當時完全不懂，等到成年後，才略為體會到，昔日的那份幸福感，也都跟著石沉大海，再無機會隨著浪濤的起伏，匍匐到沙灘上曬太陽了。

過了十二歲之後，我成了十足的憤怒鳥，不滿於眼前的一切——既不滿於家裡無止境的紛擾與勃谿，也憤怒於我對課業的無助，得不到任何的奧援；既看不到未來任何樂觀的光景，也對一切與人的互動冷感隔絕……。

顯然，我的幸福指數，一如每次月考的成績單，滿江紅之餘，更與數學的分數相互輝映——不是個位數字，就是零分。

數年後，我那無法散發的滿腔怒火，經過憤青過程的發酵，也理所當然地跟著跨進了成人後的職場；新聞工作適巧供給了我取之不盡的火藥，加上老闆的信賴與放任，我就是乾燥易燃，長無止境的連環鞭炮，每天透過筆下的抒發，炸得我眉飛色舞，卻苦了許多無辜的炮灰（其中當然也有該炸的敗類）。等到過足了宣洩的癮頭，我又自我野放，在日本混跡了十二年。也因為遠離了糾結的故里與親朋，我生平首次有足夠的時間與空間去思考，何謂黑與白與灰？由原生家庭乍生不斷的矛盾衝撞，到世間無處不在的勢利對立，為何都令我心生不滿，苦不堪言？很自然的，披在身上那件破洞無數的憤怒外衣，始終沒被遺棄，又跟著我跨進中年的門檻，由臺灣到日本，又穿回了臺灣。

誰都不會相信，《點燈》節目是我處理肚腸裡剩餘火藥的奮力一爆，我逆向思考，想換個方式，將我對臺灣社會的紛擾，人心的油膩肥厚，做一次義無反顧的顛覆；我就是不信人們的良知良能，可以繼續被輕忽、被漠視；我企圖以一盞微弱搖曳的燈火，點燃人性的溫暖與希望。

《點燈》於一九九四年的七月二十九日（週五晚上十點三十分）在華視頻道首播。這個標榜著感恩、光明與希望的節目，在不被看好的情況下，居然一炮而紅，成為華視的招牌社教節目。我的懷裡所深埋的怒火火種，隨著每集來賓生命故事的感化與灑淨，竟然逐一被澆熄；就算後來因為電視生態的改變，《點燈》歷經多次停播的考驗，我的意志力都能凌駕於現實的鞭笞，硬是逐水草而居地轉臺續命，力爭燈火地長明不滅。然後成立協會不算，再將住家售出，成立點燈基金會，只為了聖嚴師父鼓勵的一句話：「哪天阿斗不在了，說不定點燈還在喔。」我竟然成為某些人眼裡的一個不識時務的怪咖，只為了「傳播希望，看見愛」的理想，屢仆屢起不算回事，還自我陶醉得很，簡直就是無藥可救的傻子。

傻子就傻子唄！我生來原本就不是聰明伶俐之輩。

二〇二一年末，整個世界都被疫情的病毒籠罩在灰濛濛的紗罩裡，見不到一絲帶有希望的光影；點燈基金會的募款行動依然坑坑疤疤之外，大愛臺的製播也因為大力支持我們的葉樹姍離職，而拉下了帷幕；我曾寫了封長信給繼任者，但沒有獲得任何隻字片語的回覆，我當機立斷，立即做了個緊急大轉彎——既然電視臺的製播沒有機會，《點燈》姑且就另起爐灶，分別是葉樹姍主持在教育廣播電台、網路播出的《點燈～說聲對不起，我要謝謝你》以及我主持的網路節目《點燈～貪生怕死》，這不就是山不轉，路也不轉，乾脆就人轉嗎？

在此同時，我與《聯合報》繽紛版的主編小安達成協議，自二〇二二年的一月開始，開啟〈幸福轉運站〉的專欄書寫。當時的我，只有一個念頭，「有路可去就是莫大的幸福」，透過筆下的人與事，我就是要將生命中的無奈、悲苦、不安、消極……全都用濾網篩除掉，只要心中的那盞燭火不滅，就算外界的風再狂、雨再暴，只能向前的腳步就絕對不會裹足遲疑。

《度～聖嚴師父指引的33條人生大道》一書之後，觸發了製作聖嚴師父紀念影集《他的身影2》的契機；我當仁不讓，悶著頭，帶著團隊，立即投入到另一個龐雜無底的工作領域中；不到一年，穿梭於橫跨歐、亞、澳、中美、北美的十五個國度；哪怕處在最是精疲力盡的低潮期，總會有個聲音不時的提醒著：「別忘了點燈三〇」。

拖著疲憊的身心，完竣了俄羅斯的外景拍攝，六月底，終於挪出了時間，與時報出版社的趙董、責編正文開會，確定了《斗哥的幸福轉運站》這本書在八月底出版，充作「點燈三〇」的第一個慶祝活動。這本書集結了〈幸福轉運站〉專欄一年多的存稿，加上《人間福報》副刊〈斗室有燈〉專欄的文字，呈現給讀者諸君。

感謝老東家《聯合報》副刊的多年照顧，當然也不能或忘《人間福報》常年來的支持與關愛，讓這本書得以順利推出。

「把自己活成一道光，因為你不知道，誰會藉著你的光，走出了黑暗～泰戈爾」我在此也要特別感謝責編林正文，在某一個頭暈腦脹，焦頭爛額的夜晚，將這段文字傳了給我。瞬間，戛然停電的身心，忽然有了動力，再次開機，我費力地扯著啞了的嗓子，又與封面設計的家音開啟了熱線，很快地達成共識，迎向幸福的轉運站。

因緣真是不可思議！我竟然會在人生的某一個轉折點上，懵懵懂懂地選擇了《點燈》作為孤注一擲的大暴走；順著那道光的牽引，我這一奔跑，就是三十年；就算途中氣喘吁吁的瘸過腿，拐過腳，竟然沒有停頓下來。此刻的我，最感幸福的就是無意間，把自己活成了一道光。

謹將這本書獻給三十年來，陪同《點燈》穿越過無數暗夜，抵擋過暴烈風雨，一同迎接著每個東出旭日的幕前、幕後的所有夥伴們！

目錄

第二篇 轉意情更濃

第三篇 轉念心更寬

第四篇 轉身路更長

第五篇　轉運見幸福

謹將此書獻給
一路呵護著《點燈》使其燈火不會熄滅的幕前、幕後所有點燈人。

第一篇

點燈三十載

邂逅七十

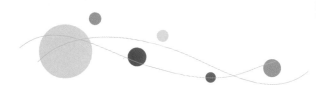

二〇二三年來到，對於我輩同儕（民國四十二年出生，屬蛇）來說，七十就在眼前了（若論虛歲，早跨過了）。

前幾天，幾位初中同學忽然要聚會，其中三位自畢業後，從未見過面，算一算，竟超過五十年有餘。別說是初中同學了，國小同學也以疫情期間未能循例，隔年就要相聚的約定，也在群組裡大張旗鼓，選好日期，歡喜相逢。

昔日眷村的小玩伴們，如今也都晉身為大爺大嬸級別，忽然也有人高揭喝上兩杯的邀約，群組立馬開始接龍起來。

這一切，都拜疫情所賜。近三年的封閉與不安，能夠不被病毒侵犯的人幾稀？既然大難無礙，加上各種規定解禁，當然要適時的寵愛自己一下，相互來個擁抱，吃點好的，說點動聽的，罵點解氣的……更何況，我輩老友中，幾乎全員，都要飛奔向七十大關的另一知天命的絕妙領域。

以前那不知天高地厚的歲月，望見七十以上的老者，直覺上都認為他們已然顫巍齒搖，連甘蔗都啃不動，只合適坐在籐椅上，聽聽收音機，順順膝上老貓的無光老毛，頂多對著太陽，打個噴嚏，或是用小指頭挖挖鼻孔，就再也沒有什麼事情好做。如今，輪到自己了，才詫異地發現，不是哇！七十只是身分證與健保卡上的一個數字罷了，除了體內器官鏽的鏽，鬆的鬆，無法挽回衰敗老化的頹勢之外，心智還是年輕的啊！聽到節奏明快的音樂還是會不由自主地搖臀展臂，色舞眉飛，腰既不瘦，腿亦不疼；看到俏麗的美眉還是會忍不住回頭猛瞧，恨不得腦後真能長副眼睛，竭盡所能的對美色致上最敬禮；碰到好吃、喜愛的食物還是會忘我的撐個夠，就算難受到呼吸困難不想活，也還是會縱容自己那張周遭都已起皺的血盆大口。

七十，還真是一個新的起步。

這段時日，因為忙著聖嚴師父紀念影集的拍攝，經常要出國。最近的一次，在伊斯坦堡轉機，那段漫長無邊的過境長廊，走起來還真是夠嗆。偶然間，就在走道盡頭，準備下手扶梯，滾進另一波轉機人潮前，忽然發現一告示牌豎在一旁，有一捷徑可以提供給六十五歲以上的旅客，我瞬間將道義放兩旁，讓團隊的年輕人自顧營生，獨自行向那令人心情大好的捷徑。

守著關卡的是一位年輕女性，拿走我的護照，左看右看後，把護照還給我，讓我過關，並笑著跟我說，沒想到我還如此年輕；嘿！雖然我的口罩還在臉上，但是我的笑容肯定如融化的奶油，瞬間流了個滿地。

回程，自然還是要在伊斯坦堡轉機，我一如識途老馬，直奔那為六十五歲以上老人所善意備好的捷徑。這一回，捷徑入口處的燈光有些昏暗，我把登機證放在儀器下方，柵門才打開，一位年輕的男性工作人員忽然從陰影處衝了出來，大聲地接連說了三、四聲的No、No、No，把我嚇得站在原處，不敢過關。我無辜地把護照交給他，跟他說，我都要七十了；他接過護照瞧了半天（我立刻研判，他當年在校的心算大概沒及格），我依然嘟嘟囔囔地跟他重複著：我都快七十了……。那年輕人不信邪，居然回頭去櫃臺拿了手機，當著我的面，開始使用手機來做算術題：「2022－1953=？」

此時，我有點想笑了，但這要犯大忌，好在口罩即時保護了我；無奈之下，我只能默默地、觀察著，看他認真無誤地複習小學三年級的算數。好不容易，他抬起頭來，有點無奈，也有點不甘心似的，將護照還給我；我再將登機證置放在儀器上，或許剛才刷過，我沒有通行，這回機器不肯讓我過關了。那小伙子只好手動打開柵門，當我通過時，換了機器不依，拚命亮起紅燈，發出噪音；我沒有回頭，故意以輕鬆愉快的年輕腳步，迴旋在那個前往隨身行李檢查處的坡道上，雖然我很清楚，我的兩條腿有點痠麻，膝蓋有點彎不動，腳踝更是有點腫脹……。

年屆七十的人，首要之務，就是要維持一顆年輕的心吧！

我很同情一些年長者，畏懼且排斥於接觸新的事物，別說是使用LINE來扔些垃圾訊息到群組，就連手機都不想用，上網則更別說。我經常告誡自己，千萬不可自認為老傢伙，倚老賣老地說些想當年的陳年舊事，迴旋於劃地自限的牢獄中，就算時候未到，腦袋都要提前「秀抖」甚至當機，那就太浪費生命，太對不起所餘的生命啦！

偶然間，在搭乘高鐵時，看見年輕人拿出手機，在入口處刷了一下就進去了，相對之下，我都是在便利店上網訂票，心甘情願地讓便利店抽取十元的佣金。經過此一刺激，我開始動腦筋，該如何突破手機購買高鐵票的這一關。沒過多久，剛好外甥女來家，她可是地道的網路專家，我新買的手機都是交給她設定的。聽到我的要求後，外甥女立刻幫我下載，並教會我如何在手機購買高鐵票，如何帶著手機，輕鬆地進出高鐵站。學會後的我，隔了兩天，回臺中看老媽，就使用手機訂票購票，然後順利的以手機搞定高鐵站的出入柵欄。我永遠記得那天的得意心情，彷彿倒回四十歲，又回到那個昂頭挺胸，天不怕地不怕的年輕小夥子。

如果衰老是一輛在高速公路上忽然爆胎的老爺車，我一定不要手忙腳亂，我根本不理會跟在後頭，猛按喇叭，沒有家教的駕駛，我會好整以暇的將車子駛靠到路肩，就算自己無力換輪胎，也可打通電話，請修車場拖去修理，順便換上新的煞車油。一旦進了修車廠，交給修車師傅整治，自己在邊上喝杯咖啡，只要車子修復後，就又能噗噗轟轟地上路，迎著風，聽著音樂，神清氣爽地繼續行走在有趣的人生大道上。

那一段臺視的實習課

許多因緣的生滅，無法逆料，這就是生命有趣且神奇處。

今年四月，是臺灣第一家電視臺——臺視成立的六十週年。

六十年前，我曾試圖在村子裡第一個購買電視的鄰居門前，穿越不斷鑽動的許多小腦袋間僅有空隙，透過紗窗，要一睹室內亮著藍色螢光的怪物，到底在變什麼把戲。

也曾為了一飽旺盛的好奇心，無視鄰居小夥伴嫌惡的眼神，甚至惡意地關上大門，卻還是守在門外，哪怕是聽到室內電視裡傳來各種不曾聽聞過的聲響都好；那是一個無法想像的開闊世界，我成了無畏生死的飛蛾，想一頭栽進去，哪怕燃盡後，連一撮微塵都不剩。

時光機器持續向前滾動。就在電視出現世間的數年後，那個拚死要想與電視長相廝守的毛頭小鬼，不但家中也買得起電視，居然還就削尖了腦袋，闖進了神秘如月球的基地——臺視。

二十三歲那年的暑假前夕，再過一年就要由世新畢業。對於未來，惶惑中激起的不安與焦慮，不斷刺痛了我的肋間，我不斷提醒自己，總該及時做點努力與鋪陳才好；我深知，沒有任何家世的依靠，我唯有憑藉著自己的雙手與腦袋，才能撥開層層障障的迷霧，為未來締結某種看不見也摸不著的契機。

就在期末考尚未結束前，我就寫了封信給教授「導演學」的熊廷武老師，希望有機會進入臺視實習；當時，熊老師在世新兼課，本職是臺視節目部的企畫；另外，他也擔任過電影的導演與副導演。那封信，石沈大海，始終不見任何回應；我無法在臺北繼續守候，只能乖乖返回臺中。炎炎烈日燒烤下，我在臺中的家裡百般無聊，電風扇捲起火上加油的熱氣，更是把人搧惑到煩躁崩潰的臨界點；手中那本借來的《紅樓夢》，翻來覆去就是劉姥姥逛大觀園的那個章節，就再也沒有任何進度可言。忽然，聽到郵差的自行車在門口的煞車聲，我衝出客廳，恰好是郵差將明信片扔進信箱的同一時刻。

明信片是隔壁班班長張燦宗寄來的。他說，熊老師正在成功嶺，為張徹導演的新作〈八道樓子〉當副導演；老師囑咐他轉告我，到臺視去找湯生導播。我分秒不願耽擱，恨不得成為點燃的火箭，瞬間可到臺北市八德路的臺視大門前。

事情並沒有想像般的容易，我在臺視大門口，遭到警衛的霸凌，拒絕幫我接通湯生導播的內線電話，堅持不讓我進去。那是個戒嚴的肅殺年代，電視臺有如核子發電廠，就怕敵人滲透進去；警衛就成了堵在第一線的衛士，手操辨識出入人員的生殺大權。

好在我的堅持成為突破障礙的手榴彈，炸開了一個破口——湯生導播執導的〈臺視劇場〉劇務杜士林，恰好路過，活生生的護著我，將我堂皇地迎進了門禁森嚴的臺視裡。我的世界開始繽紛起來——排練間裡，觸目所及，都是電視機裡熟悉的明星面孔：陳莎莉、姜鳳書、李慧慧、夏台鳳、江明、江彬、吳桓……就算去一下洗手間，隔壁小便斗站著的就是曹健、崔福生……放飯時間，領了飯票，到地下室餐廳吃飯，餐點的菜色比學校花錢的，美味上數十倍都有餘不說，還會驚喜地發現，隔壁桌坐的就是楊麗花、司馬玉嬌……。抱著蘇打餅乾桶的張小燕與孫越則在另一桌談事，表情與電視裡的相反，有點嚴肅。錄影到半夜，放宵夜，當然還是免費的飯票，多了炸醬麵，麵裡的毛豆、黃瓜絲攪拌在多肉的醬汁中，可以好吃到有飄浮起來的快感……。

身為劇務，位居整個生物鏈的最底層，我因而親眼目睹與切身感受到世間的遊戲規則，是如何的現實冷酷，人情不彰。當紅的大牌，排戲沒空，等到錄影才出現，導播心中再有不豫，還是要對著大牌漾開笑臉。久候沒戲的演員，進得排演間向製作人、導播、大牌演員鞠躬哈腰，就算諂媚、討好的嘴角都要涎下了口水，不當一回事的人，還是正眼不看，假裝低頭讀劇本。好不容易盼到一個小配角可以蹭點戲演，一向在螢光幕上扮演壞人的演員，帶著一大堆雞腳鴨舌與水果，當場請客，竟然也有人嫌棄，說是難吃，該演員故意氣轟轟地回道，待會兒就去掀掉那個水果攤。一位已然六十好幾的老演員，據說在外面偷偷養著二房，還生了兒子，但是原配不撕破臉，兩人還是同步進出演戲，狀似無事，戲與真實的人生，居然可以同時交叉進行著……。

因為年輕，我一度對幕前的戲夢人生著迷，覺得那光與熱纏綿難分的世界，甚是奪目入魂。既然錄影時，在旁守候的劇務無事可做，當然就是臨時演員的最佳人選；在咖啡廳拉背最輕鬆，一場戲就有九十元的收入（當時十塊錢就能吃到一碗牛肉麵）；如果遇到有臺詞的角色，還能拿到一百八十元。某次，我要說一句臺詞：「知道了，小的即刻回去稟報老夫人」，臨到錄影時，那句話硬是卡在喉嚨裡，怎麼都說不出口，當然吃了NG；導播開了麥克風，自副控室大聲罵下：「小張！你有那麼笨嗎？」一面紅耳赤的我，就在那個電光石火間，覺悟了我絕不是演戲的那塊料！

人說，演戲的是瘋子，看戲的是傻子；既然做不了瘋子，我寧可當作傻子。有一回，一位老演員韓甦，入戲太深，一場哭泣的戲，等到錄影結束，還回不了神，眼淚依然串串地往下流。而後，攝影棚裡的燈火全都滅了，所有的演員與工作人員都去餐廳吃飯，我怕韓老爹有事，就陪在一旁。黑暗中，韓老爹跟我要菸，我雖不抽，但身上恰好有道具菸，就趕緊點燃一支，遞給了他。韓老爹接過菸的手，還在不斷地顫抖著，他猛然一吸，香菸燃燒的那個火點，在暗黑的攝影棚裡一明一滅，似真似幻，我好像處在真幻交錯的另一個時空裡。那一天那一刻，我有點被點悟了似的，原來現實與虛無之間的鴻溝，是如此的深不可測，但那卻也是最為引人入勝的魅力源頭。

前後在臺視待了不到兩年，我卻結交了好多位幕前幕後的朋友。在職場歷經了數十年的拚搏後，承載因緣的列車，像是回頭倒駛，我與那些位臺視好友們，又集結在一起，先後組成了「美麗人生」與「臺視好友會」兩個群組，定期相約聚會。在他們之間，我又回復到小老弟的身分，只要需要召集服務時，大傢伙就會指著我道：「來！最年輕的來承擔」，我自是點頭如搗蒜，欣然接受。殊不知，一個年屆七十的小老兒，還能被呼喚為小朋友，那份自得與驕傲，我豈會輕易推託讓人？

說聲對不起，我要謝謝你

目前已經滿了三十歲，正向三十一歲前進的《點燈》節目，一路走來，揭揚的就是激勵人心、珍重生命、正面思考的節目內容。

此刻，《點燈》這艘駛向正能量彼岸的船隻，穿過迷霧，又開始加足馬力，在網路世界中，穩當前行。由我主持的Podcast博客節目《貪生怕死》，已播出了十集；緊接著，由媒體人葉樹姍主持的《說聲對不起，我要謝謝你》節目，除了網路直播外，也同時兼顧著Podcast、廣播、電視等多面向的功能，希望能將樹姍主持節目的專長，發揮到最大公約數。

之所以產生了《說聲對不起，我要謝謝你》的節目企劃，有近程與遠程的立足點。

先說「我要謝謝你」吧！

說聲謝謝，在我們日常生活中，似乎並不少見；只要得到別人的照顧或方便，自然會說聲謝謝，哪怕是搭乘公車，就算要刷卡付錢，也會向司機先生的辛勞，說聲謝謝；此一良好習慣，竟引起來自對岸遊客的感動，我有許多來過臺灣遊覽的大陸朋友，僅是因為此一特質，就一直將感動掛在嘴上，念念不忘。

我們已將說聲謝謝，當作是一種人際關係的善意表達。平日，誰的心裡不都有些過不去的坎？如何去掉這種不健康的心中垃圾，相信是大多數人努力的方向。有時，嘴裡說聲謝謝，或許是一種直覺的反應，沒有太深思，但是，對方（我們稱謝的對方）一個發自內心的微笑，哪怕是嘴角略略提起，甚或加倍友善的回禮：「不謝，沒事！」說不定可以讓上一分鐘還在惱火的你，如同飲下了一口清涼可口的薄荷茶，於是，心情瞬間變好。

話鋒一轉，來談另一個重點「說聲對不起」。

處在當今「自媒體」橫空出世的快節奏社會裡，哪怕是在街角的咖啡廳歇一歇，耳裡都會有鄰桌傳來，源自網路的某個政治話題，幾個人哇啦哇啦地擺起了藍綠對打的擂臺，絲毫不在乎這是公共場所，要顧及其他客人的存在，更別說是感受了。你可以說，這是臺灣社會最引以為傲的自由氛圍，只要我高興，有什麼不可以？此一自由新主張，曾幾何時，竟成了社會的主流意識，由媒體臉不紅氣不喘的指牛為馬，顛倒是非，進而霸道到進入校園，將下一代集體洗腦，竟連維持臺灣社會數十年來和平、昌盛的「禮義廉恥」教導，都公然撕毀，棄若敝屣。我們幼時閱讀的課本裡，美國國父華盛頓砍掉父親種植的櫻桃樹，面對父親的責難，哭著承認錯誤，父親反而摟著他，鼓勵他道，寧願失去一百棵樹，也不願聽到他說謊。

此一勇於認錯，拒絕說謊的故事，是我們在成長過程中，面對是非對錯的抉擇時，至為重要的道德勸說，或許也因為這個故事，影響了許多年輕人，在關鍵時刻沒有走錯路，迷失於貪婪虛偽的成人世界裡。如今，世道果真變了，就算事實擺在眼前，當事人就連做錯事後的一聲「對不起」，都吝於出口，好似個人的利害得失，才是通行於世間的王法，長此以往，別說是成年人的世界少了黑白對錯的依歸，變得迷亂混淆，就連日後將鼎立起國家社會棟樑的未成年年輕人與孩童們，又該如何去養育與教導他們？

這是「說聲對不起」的企劃近因。

遠因，則源自於幼時的一椿痛苦記憶。

眷村裡，住在我家對面一棟的最後一家，是一對夫妻與年紀與我相仿的一個男孩。據大人說，小男孩的母親，因為思念留在大陸的親人，有家歸不得，造成情緒的大崩潰，成為俗稱的「神經病」患者。每日上午，小男孩的父親上班後，母親就瘋瘋癲癲的出門遊玩，忽然大哭，又瞬間哈哈大笑；眷村裡無聊的孩子們，跟著瘋子媽媽，不斷地以尖酸的語言刺激著她，只要瘋子媽媽一回頭怒視，孩子們就像是火上加油，愈是興奮起來，甚至有人對著瘋子媽媽扔起了石頭。

那位可憐的男孩，永遠跟在母親身後嚎啕大哭，一邊哭喊著媽媽趕緊回家，一邊哀求孩子們，不要傷害他的母親。我曾經進過他狹小雜亂的家，明顯的是欠缺打掃整理。每到下午，我們在眷村的院子裡大玩官兵捉強盜的遊戲，那位小男孩，只能坐在他家門口，滿眼的羨慕如流淌出來的油水，源源不斷；但是領頭的大哥哥說，瘋子會傳染，不准他跟著我們玩。

事隔多年，我去了日本；某年，臺灣的友人來東京遊玩，幫我帶了很多臺灣的流行歌曲卡帶，其中有一個是蘇芮剛出版的專輯。聽著聽著，其中的一首〈親愛的小孩〉，忽然翻出了我藏匿在心底二十多年的良知，當年那個可憐的小男孩早就搬走，也許跟我一樣在社會工作了，我不知道他的下落，甚至已記不得他的名姓，但是我卻深深遺憾著，遺憾著我欠缺他一聲「對不起」！為何我當初沒有勇氣跟大哥哥說，我問過媽媽，瘋子不會傳染，我們可以讓那個小男孩與我們一同玩耍？我們可以接納他，包容他的。然而，我究竟還是不敢說出口。

如果，在《點燈》的節目中，那個當年失聯的小男孩，聽到節目，知道有個人真心切意地跟他道歉，向他說聲對不起，不也就彌補了我多年來難圓的遺憾了？因此，「說聲對不起」的企劃，就如此立體了起來。

等到我們開始實體操作，竟立即發現了一個問題，許多受邀的來賓，對於「說聲對不起」的主題，懷有某種排斥感，覺得那是自己的隱私，公然說出來，有點難為情，甚至會尷尬；與主持人葉樹姍、企劃們緊急研商會後，立刻決定，將臺灣人引以為傲的「我要謝謝你」抬出來，藉此沖淡「說聲對不起」的不自在感，也期待謝謝你成為對不起的香料或調味品，一如牛奶與糖，加入黑咖啡後，會有相乘的效果出現。

我的心中一直有個聲音在醞釀著：藉由《說聲對不起，我要謝謝你》節目的傳送，如果能夠因此蔚成一種社會運動，該有多好！

我要飛上青天

老牌藝人葛蘭，在電影《空中小姐》中，有一首插曲〈我要飛上青天〉，當時膾炙人口，異常火紅。

這兩、三年來，因為疫情，許多人已經被悶到快抓狂，巴望著疫情早早銷聲匿跡，可以回復到任何人只要心念一動，就可在網路上訂上一張機票，提起行李箱，飛奔到機場，搭上飛機，出國逍遙去。捫心自問，我就是屬於這一檔次的人，也就是隨時皆可〈我要飛上青天〉的族群。

我倒是聽說，疫情期間，居然有人可以兩年多以來，都深居家中，閉門謝客，也拒絕出門，所有日常生活所需要的日常用品、食材，都是兒女與朋友負責輸送，真是極端的了不起。我自認，絕對做不到！

除了二〇二一年五月，因為要務，我與妻飛了一趟日本，在東京住了兩個多月，其他時日，也是乖乖的待在家中，頂多是偶爾應個卯，與少數朋友聚會一下，就匆匆地揮手道再見，就怕被病毒給盯上。

誰都沒想到，二〇二二年春，因為《度～聖嚴師父指引的33條人生大道》的新書出版，居然促成了記錄聖嚴師父海外行腳的影集《他的身影2》的因緣成熟。依照計畫，應該是先以半年以上的時間做籌備，等到萬事齊備後，於該年的年底開拍。不過，基於疫情、戰爭、天災人禍的無常的腳步，跑得比火箭的速度還要快，且勇猛；只在一夕之間，我當機立斷，不顧團隊的哀鴻遍野，決意提前開跑。

第一站，就是與聖嚴師父一同於一九九七年前往的波蘭首府——華沙，以及一九九五年，首次與師父同行的英國。

憑著過去的經驗，一趟歐洲來回的經濟艙機票，經常是三萬出頭就搞定了；我們透過旅行社的打聽，八月中下旬出發的機票，當然是經濟艙來回，竟然要七萬多元；等到半個月過去，旅行社來電，很抱歉，一段華沙飛倫敦的機票忘記算進去，是故，票價瞬間昂然挺進八萬元以上。這一下，要做另一番情感與理智的拔河賽了，究竟是等到票價回穩再出發？還是前行的目標置於第一，哪怕機票再貴得離譜，還是得如期出發……結果？當然是後者贏了！

出發的當晚，雖是晚間十一點多的班機，我們卻早早在八點半就集合完畢。當我踏進桃園機場的第一航廈時，幾乎有點不敢相信眼前所見到的景象，雖然機場大廳的燈光依然輝煌，但是遊客的蹤影幾乎沒有，彷彿閒置已久的遊樂場，只有幾隻麻雀，偶爾在空曠無人的地上跳躍兩下，算是盡到一點主人歡迎遊客的責任。等到我們將過重的攝影器材平均分攤，避免因超重被罰錢，把行李推往航空公司櫃臺前，也立即發現，只有一個單身女孩在另一個櫃臺，我們這條線路，完全沒人。

入關時，檢查人員看來分外輕鬆，全無過往緊張的快節奏；我們六個人，也非常不習慣機場的冷清，好像冷氣特別的冷，讓人不得不從背包拿出了外套。以前人頭鑽動的免稅店，真的是空無一人，只有服務人員無精打采的站在門口，就連吆喝的力氣都提不起似的，只看了我們一眼，就低頭刷著手機，藉由手機的訊息來加點人情的溫度。

地勤人員曾友善的跟我們說，我們這班飛往荷蘭的阿姆斯特丹飛機，雖然從臺北上機的人數很少，但是轉機的旅客很多。等到我們走到登機口附近，果然發現非常多的轉機旅客，都像是由東南亞轉過來的。與我們這個登機口相較起來，其他的候機室全無一人；我不信邪，信步走往第二航廈的通道，也立即發現，第二航廈一樣杳無人跡，怎麼像是科技電影的場景？我們都是躲在數十公尺地下城堡裡的避難人員，避的不是毀滅性的核子彈，而是來無影去無蹤的新冠肺炎病毒？

我穿著老婆刻意購妥的防疫型 3D 外套，一把面罩放下，真像是登陸月球與火星的太空人；一開始，我還覺得挺風騷的，沒有絲毫害臊之意；等到開始登機，地勤人員對我比起大拇指，已經入座的旅客盯著我瞧，臉上漾開了笑意，好像在挖苦我道：「有這麼嚴重嗎？」等到我找到座位，放好隨身行李後，才發覺腦袋有點重，呼吸有點沉，好像不太舒適；於是，火速將面罩拉起，放到腦勺後，這才發現，嗯，舒服多了。我隨即有了覺悟，幸好我不是太空人，我也沒有資格成為太空人。

幾乎滿座的客人，誰都不知道誰是安全的，是不帶病毒的；不過，看到空服人員一副大難臨頭的模樣，防疫衣裝沒有絲毫馬虎，多少也提醒了旅客們，不可存有任何的僥倖，全程十幾個小時，絕對不可將防護的口罩脫下來。透過廣播，空服人員也嚴正通知，哪怕是飛機升空，發放餐點時，也希望左右的旅客能夠錯過脫下口罩用餐的時間，也就是不要同時摘下口罩的意思。

很幸運，我的座位靠在走道，中間居然沒有人，靠窗的像是一位年輕的留學生，如此一來，我頓時少了一方壓力，真是美好。

雖然誤了點時間，我卻是一點都不會如以往般的焦躁，我幫航空公司找了許多理由，畢竟疫情期間，許多不可逆的因素，多少會影響到飛機的正點起飛啊。等到發現飛機出現了些微震動，逐漸挪移開停機口，哈！真好！飛機要飛了，我也察覺，我的心口也跟著加快了跳躍的速度。

透過窗口，看到燈火中的航廈，逐漸離開視線，飛機穩定地向前滑行，一個彎，兩個彎，轉到起飛跑道的盡頭；然後，一聲巨響，引擎整個發動，不到十秒鐘，飛機猛然加速，轟然向前飛奔……；起飛了，飛機的下方是桃園人家的萬家燈火。

雖然已屆深夜，無從看到窗外的湛藍青天，我還是緩緩閉上了雙眼，讓葛蘭的歌聲悠揚地自耳邊升起：「我要飛上青天，上青天；我要飛上青天，上青天；我上七重天，來往浮在白雲間，白雲片片如錦，自由自在飄飄欲仙……」。

追夢最是美

一月的某個陰雨夜晚，看完了《大俠胡金銓》上下兩集的紀錄片後，行於國家影視聽中心周邊的小道上，就算室內透出的燈火如鐫刻般，雕琢出新落成建築的摩登輪廓，我卻總有錯覺，恍若置身在一座武俠片的布景中——破舊的客棧、風中搖曳著的芒草蘆葦、梟鳥的夜啼與遠處寺院傳出的鐘聲……。一盞路燈，就如同高臺上的聚光燈，燈後的胡金銓導演，守候在攝影機旁，不算小的雙眼，瞪得很大，焦點凝注在另一方準備燒煙的工作人員。

那個晚上，連帶著後面的幾天，我始終無法放下心中那份糾結難解的遺憾——胡金銓導演未曾完成的夢想——電影《華工血淚史》。歷經了二十餘年的尋覓、張羅，好不容易找到了投資人，卻在開拍前的一次心導管支架手術，突然驟逝；很可能會轉變美國白種人對華人歧視的根結，也很可能為胡導演的電影人生再創一個高峰的電影夢，就戛然殞滅在毫無希望的黑暗中；日期定格在一九九七的一月十四日。

我為何就被胡導演的紀錄片給薰染至酩酊，久久回不了神？慢慢地開始整理混亂的思緒，首先發現，有某種情緒的投射，是衍生於我同樣也有心血管的疾病。

某次去山地部落拍攝外景，等到工作告一段落，已過了晚餐時間，臨時找了當地原住民的店舖，買了類似粽子的食品充飢。半夜，已然在民宿熟睡的我，忽然被腹部絞痛所驚醒，險險乎就立即要失禁，我緊急翻身，立刻衝去洗手間；就在如廁的過程中，心臟如洩氣的皮球，間接也影響了肺部，不但胸悶至極，心臟的鼓點狂打，幾乎呼吸不過來；我知道，我遇到了類似心肌梗塞的衝擊，又匆匆由洗手間爬回床上。

躺在床上，我想起網路上閱讀過的訊息，拚命的輪流捶打兩隻臂膀與胸部，並不斷地做深呼吸，同時也哀求佛菩薩趕緊救我……好不容易，呼吸由急促地喘息，逐漸地平緩下來；我這才明白，我逃過了一劫。隔天上午，同行的企劃聽到我的述說，埋怨我為何不去找他？他帶有救命的硝化甘油片；我說，我哪知道他會帶有此一藥丸啊？人不到危急時，無法體會到生命的微脆，以及呼吸的稍縱即逝，就算想要求救，有時候或許也為時已晚。

因為這次的犯病經驗，我才徹底憬悟，無常，真的就潛伏在四周，隨時可以趁虛而入，只看當事人是否來得及應付。在此之前，或是要搶過一個路口，或是趕上一班捷運，快步往前衝的結果，都會發現胸悶、呼吸不順的現象，後來檢查了三次，也換了三家大型醫院，結果都是一樣，沒有毛病。所謂上窮碧落下黃泉，皇天真的不會辜負有心人，經過那夜的驚魂後，我執意尋找身體發出警訊的原點，總算在最精密的斷層檢查後，查出了心血管阻塞，竟是藏在血管的轉彎處，一般的心電圖乃至進階的檢查，都無法查出病灶所在。最終，一年間，我做了兩次心血管支架的手術。

我又在想，看完胡金銓導演的紀錄片後，為何讓我如此糾結難捱？仔細分析後，重點就在他漫長的追夢行旅結束時，夢，來不及成真，竟碎了。

我這一生為自己追夢的規格，就定位在「寧可做了失敗，也不要因為沒有做而懊悔」。如今回頭細數，這一路下來，我的追夢軌跡雖然起伏跌宕，卻從未蹉跎過。年代久遠的就無需重述，近二十年來，為了築夢，我還真是繞了不少彎路，栽了不少跟斗。就以我所熱愛的影視工作來說，為了能讓經營已久的《點燈》節目不受電視臺經營者的擺弄，我下定主意，要在電視連續劇的市場上，闖出一片天地，等到收成入庫，有了足夠的資金，我就可以在傳播世界裡，隨心所欲的擴張公益事業的版圖，讓更多的人聽得見、看得到社會公道的彰顯與矗立。

此一夢想，不得不承認，還真是龐鉅無章。以一年的預算來計算，週播節目，一年有五十二集，每集把預算壓到新臺幣二十萬元，一年沒有個一千萬元，是絕對無法過得了關。於是，有許多年，我是臺灣與大陸兩頭跑，帶著連續劇的企劃案與大綱，四處尋找合作對象與資金。我在上海擠過導演兩房一廳的家，也打擾過許多好友的住處，為的就是節省下一毛一塊錢，好履踐我那巨大的追夢計畫。偏偏，此一行業有許多沒有明文規定的潛規則，譬如如何輸送好處給相關人員？如何躲掉同樣是臺灣同行的暗處放箭？我曾在冬夜裡，躲在上海冷僻的公園裡跺腳，因為合作方突然提出不合理的要求，我要找個地方大聲吼叫，才能釋放胸中鬱積過量的壓力。同樣的，北京零度以下的街頭，我四處尋找水果店，要購物去「大腕」（大牌演員）的劇組獻殷勤；彼時，肚子雖然餓得咕嚕咕嚕叫，卻捨不得吃上一碗十元人民幣大滷麵……。

算是有始有終吧，我三次出擊，都完成了計畫中的連續劇。第一檔，被捲入臺灣電視臺高層的惡鬥裡，大陸方賺得春風得意，我卻慘賠一千五百萬元，最後連戲都被臺灣的電視臺一槍斃命，連播出的機會都不給。第二檔，天可憐見，算是把前一檔留下的坑洞給補上了。第三檔，心想，總該輪到我把乾癟的口袋塞進點銀兩了，到最後，又淪為電視臺內部的惡鬥犧牲品，算是打了場水漂，落了啥都不存的下場。

好在，值此期間，佛菩薩沒有虧待我，透過善知識的出面與協助，我還是尋到了《點燈》節目一年上千萬的捐款，沒有讓此一燈火熄滅。直到因緣不斷變遷，我的春秋大夢在現實環境丕變的情況下，冷然清醒。轉過身來，我適時覺悟，唯有在不景氣的旋流中，護著《點燈》的微弱燈火，才不會沒頂於世道的洪流；也唯有且戰且走，才能細水長流，探知到前方有路。

也算是惺惺相惜吧！心疼胡導演的同時，我也低頭檢視了自己的滿身傷痕。隔了兩天，心情平順了，腦袋的迴路也不堵了，我才明白，其實胡導演的《華工血淚史》一片，早在導演的心裡、腦中，上演了千百回，那是早已成真的夢想，只是世人沒有福氣，無法親眼欣賞到罷了。

追夢，因為因緣的生滅，結局自是不同。只要盡心盡力，無愧天地；只要記取追夢過程的意氣風發，確實點燃過生命的鬥志，那一份自我期許的火花，就算不曾引爆又如何？整個過程的醞釀與堆砌，不就是最美的體驗與展現了？

幸福的色彩——壓歲錢

在過往物質缺乏的年代，過年，對於孩子們來說，就是幸福的代名詞：有新衣、新鞋與新帽穿戴，有好吃好喝的大快朵頤，最重要的一件事，就是有壓歲錢可拿。

根本沒有零用錢可領的平素日子，最為匱乏的就是空空如也的口袋。看到好吃的，沒錢；想要獲取的書刊、唱片，沒錢；想看的電影，沒錢；甚至購買通學的火車月票，也沒錢。羅大佑膾炙人口的那首歌〈童年〉裡，不就有段歌詞十分寫實：「福利社裡面什麼都有，就是口袋裡沒有半毛錢。」

錢，就是父母終年吵架的禍害；錢，就是這個世界上最為可愛的東西，雖然大人形容它是萬惡的魔鬼。

在這種情況下，只有除夕夜吃過年夜飯

後，可以名正言順地自父母的手中，接過噴有廉價香水味的紅封套，裡面躺著薄薄的一張紅色紙鈔——十元。遇到家境最不堪的時節，這壓歲錢還要在年後被母親收回，因為寒假過後立馬要繳學費。

如今，看到晚輩們拿到壓歲錢時，眼裡不但沒有驚艷的火花迸出，還會不經意地把壓歲錢隨手置於桌上，沒有多看一眼，我的心口都會微微抽動一下，想來，物質條件的充裕，相對的也已剝奪了他們感受到幸福的本能。

二十八年前，《點燈》節目首播的第一集，製作的是藝人白冰冰的感恩故事。自小，白冰冰動則得咎，經常遭到母親打罵；雖然又瘦又小，還要幫助母親照管接連生下的弟弟與妹妹；大冷的天，她蹲在河邊，以冰凍的河水清洗弟弟妹妹的尿布衣褲，背著的弟弟卻尿濕了她背後的衣服⋯⋯在她那脆弱的小小心靈裡，恍若處在沒有任何色彩的國度，有的，只是沒有任何希望的黑白世界。

有一天，一位退役老兵經過她家，問她母親，是否可在她家租一個床位？白媽媽當然很高興有租金可收，立刻就答應了。沒過多久，就過年了，過年的當天早上，「老背北」（老伯伯，她們姐弟對老兵的稱呼）將白冰冰姊弟叫過去，每人各分給了一個紅包，也就是俗稱的壓歲錢。手上拿著那個紅封套，白冰冰的眼裡，突然蹦跳出許多光耀奪目的七彩泡泡，那些個泡泡就是無數個夢想：她可以買鉛筆、買墊板、買橡皮擦、買書包……，她可以去上學了。

因為那個喜艷艷的紅封套，白冰冰的人生觀有了遽變——原來她也可以有夢，原來她也可以擁有一個幸福的未來。

長大成年，去了日本闖天下，結婚、離婚、生了女兒，回到臺灣……，白冰冰的去路雖然依然坎坷，但她從未失去過希望。當然，她首要感謝的就是那位給她壓歲錢的「老背北」。《點燈》節目幫著她，找到了早已往生的「老背北」，骨灰罈置厝於一座靈骨塔中。是日，白冰冰帶著女兒白曉燕，親自前往靈骨塔祭拜「老背北」。見到白曉燕乖巧地隨著母親跪在地上，拜謝「老背北」是母親的恩人，我還在心中感嘆，難得白冰冰把女兒教養的這麼好……。

同樣走過那樣一個貧窮無望的童年，對於白冰冰慘淡無華的遭遇，我是絕對可以感同身受的。

回頭再說我的壓歲錢。只因父母的親人都滯留在大陸，我的壓歲錢來源，自是可憐到沒有任何奢望。眷村裡，只因每一家的日子都不好過，大人們也就有了默契——兩免。不用打腫臉稱胖子的分發壓歲錢給彼此的孩子，如此雖然省了彼此的麻煩，卻也斷了孩子們的非分遐想。

十二歲那年，父親酒後駕車出事後，被收監於軍人監獄，那個新年，我家的境遇淒慘，不但所有的眷糧都被取消，加上少了父親的薪水，只能靠母親在紡織廠的工錢，沒有斷糧都不容易，母親再也沒有能力給我們五個孩子壓歲錢。偏偏，屋漏又逢連雨天，除夕守歲包的餃子，竟然還被老鼠蹂躪荼毒到慘不忍睹，就連初一上午的餃子都沒得吃。

百般無聊下，我由潭子出發，前往北屯，到大姐的乾爹乾媽家拜年。每年過年，篤信觀世音菩薩的奶奶（大姐的乾奶奶）一定會給我一個紅包；下意識裡，奶奶給我的紅包，補償了我不曾親近過自己親生爺爺、奶奶的缺憾。到了北屯奶奶的家，奶奶剛好去廟裡燒香，我就在門口，與隔壁李家的大梅聊天。大梅大概比我大上兩歲吧？當然已聽說我家的事，就關心的詢問我，我家的這個年，想來一定難過……。我像是溺水中抓到了一方浮板，就將心中的不安與煩惱，都說給大梅聽。聽著聽著，大梅的眼眶紅了，趕緊回頭進屋，捧了一大把的糖果出來，塞進我的口袋，鼓勵我要加油，千萬不要洩氣。我垂頭喪氣地坐在椅子上，心情實在是好不起來；大梅忽然又由懷裡拿出一個紅包，火速地攢進我的另一個口袋，我全力抗拒，趕緊掏出紅包還給她，大梅果斷地再次把紅包塞進我的衣領裡，我火速拔出，正想扔還給她，瞬間，我正視到她的眼神，原來，大梅眼裡所透露出的訊息，絕對不是居高臨下的可憐施捨，而是你再也無力抗拒的悲憫溫情與鼓舞。我讀懂了。

數十年過去，我的身分有了倒置，可以有能力藉由壓歲錢的恭奉長輩，表達對他們教養、關照的一點反饋。只是很可惜，我未能有機會將壓歲錢高高舉起，遞送給北屯的老奶奶，她老人家早就回到佛菩薩的身邊去了。同樣的，我也一直記掛著大梅，期待著某一天，能夠找到她，給她一個深切地擁抱，並且也偷偷塞給她一個紅包，裡面，有我無以言傳的感動與感謝；既感動她的善念、慈悲，也感謝她傳導給我的幸福與希望。

一聲對不起 解冤仇

我是個沒有本事的人，尤其是與別人發生衝突時。

分明是自己有理，卻因面紅耳熱，氣血攻心，結巴的宿疾瞬間自毀長城的復發，還沒戰上第二回合，倒反落了個棄甲曳兵的敗戰結局。

最近這半年，我處心積慮的想要製作一個推動《說聲對不起》的網路節目，希望人們可以養成反省、懺悔的習慣，從而再造社會真誠、善良的風氣。沒想到，節目尚未推出，考驗就送到門口，其過程的滑稽荒謬幾乎讓我哭笑不得。

八月的最後一天，我與團隊結束了第一階段，為時半個月的聖嚴師父紀錄影集《他的身影2》的海外拍攝行程，由倫敦搭機回國。與去程擁擠的情況相反，回程全機只上坐了四分之一左右的乘客，我們每人都得以平躺著休息，真是難得的好運道。或許好運提前用完，下機後，就有霉運降頭。

在桃園機場通過疫情檢疫、護照檢查的關卡，下了一樓，提取行李了，只因家園就在咫尺，相信每個經過長途飛行的旅客，都希望早點提到行李，打道回府，好好喘上一口氣。我率先找到行李輸送帶的輪盤前方，為團隊準備了四輛推車，畢竟攝影組的行李最是龐大。此時，我的右手邊有幾位年輕人簇集，其中一個大嗓門的，猛然丟下一句「我要大便，交給你們了！」我心想，這世代的年輕人真的跟我們當年不一樣，公共場所裡，可以大不咧嗲得不擇語言，還真是通暢爽快。

逐漸的，團隊陸續來到定點，我將隨身行李交給同伴後，上了個洗手間，輸送帶的行李就開始出現；我才發現，方才站在我右邊的那群年輕人，或許為了早一步拿到行李，已經轉到我的左邊，而且，他們的行李也陸續被拉上了備好的行李車。

遠遠的，攝影師阿良、阿峰的行李出現了，都是些大傢伙，他倆快步上前去取；此時，我發現一輛滿載著行李的車子橫跨著，恰好擋住了我們的去路，顯然，依照規定，所有的行李車都該置放在一條適度距離的藍線後不是嗎？為何有人可以如此自我的擋住了別人的通路？我一個心急，上前兩步，將那輛擋路的行李車往左推動了一點空距，沒想到，方才那位大嗓門的年輕人忽然衝過來，責問我道，差點把他的東西推倒；我有點訝異，跟他說，才輕輕挪了一下，是他的車子擋路了。本來我想，沒事就好，但那年輕人忽然黏上我，說是我欠了他一個道歉。

我的一聲對不起，很快地已經提到嗓門處，但是，過往在倫敦皇家公園遇見松鼠的畫面，卻倏忽地躍然在眼前。

某天下午，倫敦的幾位年輕友人，在皇家公園的草坪上，辦了一個戶外分享會，席地而坐的大塊布巾上，備有水果、花生、飲料等各種飲食；我們才要開始，一隻松鼠如入無人之地，衝了進來，先搶起了帶殼花生；一開始，覺得很有趣，接著下來，顯然是被遊客寵壞的松鼠越形囂張，將蘋果、杏子嚙了一口，又去翻餅乾袋，我開始不悅，想將牠趕走，沒想到牠的脾氣來了個大，先是竄上我的肩膀，又往後跳去，順勢在導演的腳踝處咬了一口；我真是開了眼界，看來英國不但盛產「足球流氓」（球迷邊看足球賽邊喝啤酒，等到酒意上來就開始打架生事），如今還多出了此一「松鼠流氓」。等到分享會結束了，那隻「松鼠流氓」還方興未艾的在橫衝直撞：於是，眾人得到的結論就是都是遊客將牠寵壞了。

於是，我那聲就要出口的對不起，來了個緊急煞車，我跟年輕人說，將行李車橫放，是他先不對，該先說對不起的應該是他，怎可來找我麻煩？於是，他信口罵我這老頭子沒家教，我立刻給他一記回馬槍，大聲回道，沒家教的是你，怎麼惡人先告狀了？

於此同時，我的心中也有個聲音湧了上來：「張老先生，別忘了你的心血管還有四根支架在撐著，可別鬧出什麼意外才好！」但那年輕人不罷休，竟吵著要叫警察來，我說，好哇！我就來叫警察！

由行李輸送帶走到出關處約有五十公尺左右，我走著走著，有點想笑，已到我這個歲數，跟個毛頭小鬼，有什麼好鬧的？遠遠的，我跟站著筆直的海關人員說，那裡有點紛爭，是否可以來評評理？海關先生充作耳邊風，沒有給我任何反應；我倒是識趣，人家的工作是檢查行李，你們那點芝麻綠豆大的事，干他什麼事？

等到我回到原點，那位氣焰十足的年輕人還不罷休，依然想找我挑釁；我們那位不高卻很壯，還留著鬍鬚的攝影師阿峰，挺起了豐胸，擋在他前面，低聲喝止他道：「怎樣？你想要怎樣嗎？」一看來，惡人還真是要有惡人制，那惹事的小子居然就無聲地後退，不再繼續張牙吠口下去。

居家隔離的前兩天，無論是醒著，或是在時差的翻弄中煎熬在床上，那一晚，那一幕，不時在我的腦際騰躍；老實說，我是在反省與懺悔，如果同樣的衝突再次出現，我應該以何種心態去面對呢？幾經思量，我想，最好的方式就是我以輕鬆的口氣跟他說：「好啦！帥哥！大家坐了長程飛機都累了！我先跟你說聲 I am sorry，你是否也該跟我說一聲呢？」我這即將七十的老頭不該跟他一般見識，何苦讓周邊的人看笑話？說不定弄個身體出狀況，那還真是划不來啊！

於是，我在群組裡，向我的團隊正式道歉；我說，那晚，我要是發生什麼差錯，自作自受也罷，卻會害了大家有家歸不得，跟著我受罪，那才是我最不願看到的結果。

不都說是一聲對不起解冤仇嗎？同樣的，一聲對不起，少不了一塊肉，我又何苦面對不講理的人，執意要理論，反倒為難自己呢？

繽紛賜我生命以斑爛

我一度視寫稿為畏途。

十年有餘的記者生涯，每天睡覺前、起床後，記掛的都是後面的稿源在哪裡？久而久之，忘卻了寫稿的怡情與樂趣，老是被公式化的寫稿程序糾纏綑縛，後來終於決定一刀落下，斬斷寫稿的職業、情緣，與新聞工作正式脫離干係。

時隔多年，偶爾手癢，想將心中萌生的一些念想，化為文字，但總欠缺臨門一腳，畢竟彼時的網路勢力尚未鋪天蓋地，加上沒有園地發表，自然也就繼續擺爛，恣意晃蕩。只不過，每天上班，閱讀三份訂閱的報紙，是為不變的正事之一。每份報紙的副刊，我都留在最後，然後慢慢悠悠地由報頭看至報尾。

曾幾何時，那份讀報的悠閒情趣逐漸被瞋心與怨心替代，每每被一些報導喧騰到飲食無味，後來乾脆退掉了兩份報紙，只剩下《聯合報》。然後胃口越發的清淡，改從繽紛版開始閱讀，卻越是發現「繽紛」的內容多樣且有趣，讓我讀後的嘴角總會微微上揚，而不是弧度下降。

成為繽紛版的鐵粉後，整個心當然就被牽著走了；有一回，終是忍不住，出手寫了篇稿，寄給繽紛版，心想，沒被採用也無妨，反正我已經過完癮了。卻沒想到，當時繽紛版的主編小熊老師，回了封信給我，不但採用了稿子，還邀請我繼續寫下去。

我與繽紛版的因緣就此締結。

小熊老師為我開闢了專欄不說，有些活動，還主動拉我參加。有一回，他在報社辦了一個繽紛作者相見歡的茶會，並且要我們帶一個貼己的小道具去說故事。當天到場，我才發現我是最年長者，原來繽紛版的作家們都如此年輕，難怪寫得出如此多樣有趣的好文章。我臨時抓了個書桌上的石刻小貓與會，等到輪到我了，我才娓娓道出小時候為了養貓，與小貓發生生離死別的事件，間接造成一生不再觸碰貓狗等毛孩子的過往；說著說著，我才發現，那些前塵舊事並沒有埋葬在記憶的黑洞裡，反而依舊鮮明又傷感。

小熊老師後來決定提前退休，找了一位害羞的接班人小安。小安是位愛護小動物、生物的熱衷者，她恰好有個外號，被我們稱呼為「貓編」。貓編確實很靦腆，只是亮著眼睛，好奇地打量人，認真的聽人說話，自己卻鮮少主動開口，與貓的特質還真像。但是，做起事來卻分外認真，對於稿件的審核十分細密，就算是一句文字的語氣，有時候都會來信確認。

《點燈》二十週年，基金會計畫在臺北市中山堂，舉辦一場名之為「哥哥爸爸真偉大」的公益演唱會，向國軍致敬。我找了貓編商談，希望能在繽紛版籌辦一個徵文活動，歡迎讀者將家裡身負保家衛國重責的哥哥爸爸們，以文字介紹出來。只要是入選者，我們不但在演出當天發表，並招待為現場貴賓。

貓編問我，為何要辦以軍人為主題的活動？我說，我輩在眷村中長大的孩子，對於父兄軍人的職務，一直保有無限的敬意；如果不是他們站在前線捍衛家園，別說是八二三金門炮戰得以打退共軍，或許臺灣早早就淪陷到對岸手中，肯定又是一回家破人亡的人倫悲劇再次上演。我還跟貓編說，我小時候，親眼目睹酒醉的父親，在床上痛哭，喊著媽呀媽的，這才知道，原來大人也會想家，也會思念親人……說著說著，貓編的眼珠前端，霧起了一片水氣，我的情緒反倒被她影響，話也就再也無法持續下去。

「哥哥爸爸真偉大」的徵文有了很大的迴響，致贈免費入場券的消息，也在繽紛版披露。這下可好，竟然造成一場大災難，我們辦公室的電話，不分早晚，被打爆了不說，還有讀者親自上門按鈴，要來搶票。接電話的志工成了驚弓之鳥，那幾天被嚇到拔了電話，再也沒有辦法面對熱情的讀者們。

而後幾年，我們接連舉辦了「迎著光～照見生命勇士」、「老師我愛您」、「今宵多珍重～向警消致敬」等多場公益演唱會，也都尋求了繽紛版的協助，都辦有相關的徵文活動，當然也都獲得非常大的效果。我不禁讚嘆道，原來繽紛版的影響力如此深遠，總能號召到堅實、熱忱的讀者們共襄盛舉。

我經常會應邀到各處演講，更讓我覺得不可思議的是，無論是中、南部或是東部，總會有聽眾依序來簽名時，透著微笑，帶著興奮的告訴我，他們是繽紛版的讀者，很高興能在繽紛版讀到我所分享的各種人物故事，並希望我能繼續寫下去。我因而更是感謝繽紛版為我與讀者牽成如此溫暖的相見歡。更好笑的是，我一老友，習慣在每晚如廁時，細讀當天聯合副刊，每回在繽紛版讀到有所感觸的文章，她下意識的認為一定是張某人的作品，再留意標題的結果，才發現她與我還真有默契。

總會有朋友好奇地詢問我，長期在繽紛版寫專欄，會不會有題材寫盡的惶恐？我想了想，很快地搖頭，不覺得會江郎才盡。或許，我所製作的《點燈》節目，讓我可以無邊無際的結識各行各業，具有動人經歷與人生況味的好友們；每每與他們接觸後，都讓我喜出望外的讚美老天，得以與如此生動的人物相遇。他們的故事，是我人生中源源不斷的精釀活水，雖不帶酒精成分，卻總是讓我酩酊、低徊、癡迷。

如今，持續多年的專欄雖然告一段落，但是貓編並沒有忘記我，老會找到各種美麗的藉口，要我別做伏櫪的老馬，盡可在繽紛版中青春無限的草原上多多奔跑，好自舒心；而我，還真有點難為情，每一接到邀請，居然從沒有任何靦腆與作態，總是在第一時間裡高聲回答道，沒有問題喔！一定準時交稿（也從不用她催稿，肯定提前交卷，哈哈！）

恭喜繽紛版，恭喜聯合副刊，恭喜《聯合報》，在紙媒經營的艱難中，歡喜迎接七十大壽的到來。既然繽紛版賜我生命以斑爛，我也要回祝《聯合報》，在「為民喉舌」的真知灼見下，只要初心不變，必然會讓讀者忠心擁戴，不離不棄；一如我與繽紛版的不逾情感——永遠相看兩不厭。

國外尋廁記

沒有跨出國門前，不曾思量過，臺灣真是個寶島，公廁有水有紙還有人掃。雖然仍有些人不滿意，因為日本的某些公廁還有暖屁屁的免治馬桶可坐，外加溫水噴泉可以嘩啦啦。

近幾個月來，適逢新型肺炎的後猙獰期，我與團隊搶在因緣具足的順風裡，揚帆出行，拍攝聖嚴師父的紀錄影集《他的身影2》。

與十餘年前拍攝第一季，尚稱得上是矯健、威猛的體力相比，這一趟最是明顯的退步之處就是隨時得尋找公廁；有時候，體內警報來得急且凶，險險乎在街頭跪下，並大聲呼救——公廁啊！你究竟在何方？

舉例來說，某日在波蘭首府華沙的名勝

古堡出機，只因兩天沒有出貨，腹脹如鼓，不得不在前一夜入睡前，吞食了得以通暢的藥丸。本以為，藥性真的發作，也要熬到夜晚收工，回到飯店後；卻不知，這一回，我那體內循環系統突然由遲緩兒變身為過動兒，我顧不得團隊正在拍攝的工序，開始在古堡廣場四處鼠竄，害得導演看不下去，立刻拋下兩位攝影師，順著一面面圍牆的標示，替我尋覓公廁的蹤影。

那一刻，我成了人海中無所依歸，倉皇失措的低能老頭，把導演當成了救苦救難的菩薩。當他在一百公尺以外，突破觀光客的人牆，對著我招手時，我差點喜極而泣。只不過，那不是皆大歡喜的喜劇 ending，我賣了老命，奔到導演身旁，卻發現他滿臉愧色的指著一段重重復重重的梯階下方，起碼有四層樓高；我沒有洩氣的餘地，只能隨著他快步下奔的腳步，一手扶著欄杆，一手安撫著激動難馴的肚皮，硬是緊扣著牙關，亦步亦趨的往梯階下移動。

跑在前方的導演對我搖搖頭，他誤以為梯階下就是公廁，卻沒料到，乍隱乍現的標示一個轉彎，又指向缺乏目標性的遠方；老實說，我差點哀號出聲，但所幸保住了男性最後的尊嚴，只是不停的喘著氣，也好遮掩住即將大奔潰的理智防線。導演繼續向前奔跑，在一個半圓形，像是售票口的前面跳了起來，高聲替我打氣，說是公廁找到了。就在我好不容易跌跌撞撞的趕到公廁門前，攝影師阿峰也跟了上來；我問他是小號或大號？他小聲地回我，是小號；此刻，我的情感再次戰勝了理智，跟他說，我的時間會有一陣子（另外還有賽瓦斯毒氣的氣味），還是他先進去吧；然後才發現，那是個需要投幣的公廁。

我們三人同時去掏口袋，只有導演摸出了銅板，我與阿峰都掛零：導演二話不說，趕緊投進銅板，門開了，當然是讓阿峰率先進入；我忽然失去風度，大聲詢問導演，怎麼辦？等下阿峰出來，我無法進去怎麼辦？導演立刻安撫了我已瀕臨崩潰的最後防線，說是有辦法。阿峰很懂事，在極短的時間裡，開了電動門，導演一個箭步上前，用腳抵住了即將要關閉的門，讓我火速鑽了進去……。

坐在公廁不是很乾淨的馬桶上，我幾乎涕泗難抑——這真是一場攸關生死的浩劫啊！萬一我一個忍不住，會釀成什麼樣的災難？僅是想像，都要忍不住得全身痙攣。

另一回在以色列。

我們的車子沿著高速公路，朝向海法的方向出發，我們要穿越海法，前往一個山上的社區，採訪一位重要人士。

或許早餐喝了杯咖啡，外加兩杯水，距離目的地還遠著呢，我就向開車的演持師兄申請，要趕緊找間公廁方便。我對以色列的公路系統不是很清楚，下了高速公路，就開始遇到很多紅綠燈；演持順著地中海的海岸線，遵從Google的指引，左拐右轉的行行復行行，總算在一個類似度假中心的大型建築物的道路旁停了下來。我太天真，三步併作兩步的快速步上臺階，心想，有了咖啡店，公共廁所肯定就在不遠處；一位正在灑水洗地的工作人員，指著建築物裡面說了一堆聽不懂的話，演持說，要到裡面去找，外面沒有。

大型建築物的二樓類似停車場，但又堆放了一處處的雜物，看來此一度假中心也被疫情影響極深，衰敗與寂靜難掩大樓的大勢已去，外加一股腐敗的垃圾氣味在空氣中毫不掩飾地籠罩著。演持帶頭領著我們，往一處辦公區走去，沒錯，有了辦公室，就一定會有洗手間。但是奇怪了，連續好多間點有燈光的房間，竟然都空無一人，也沒有廁所，真有那麼一點詭譎意象，難道會有怪獸？

我們三人繞了兩圈，就連廁所專屬的刺鼻氣息都接收不到。無奈之餘，好不容易遠遠發現到兩人在講話，演持快步上前，開始以希伯來語詢問，一位中年大叔比手畫腳的說了半天，演持回來了，說是這一層沒有廁所，要坐電梯，到樓上去才會有。

或許其他夥伴都想上廁所，也都陸續跟來了。好不容易，演持找到電梯，也上到樓上，率先找到一間個人使用的廁所，讓一位女士先進去；一個轉彎，他又找到一間，只是表情有點怪異；果然，另一位小女生才跨進去就縮了回來，可想而知，那間廁所的衛生狀況一定不是簡單的「突出」而已。

七個人一條心，我們就認定了那間說來還能涉足入內的廁所，陸續解決了心腹大患。

到了目的地，也順利拍攝完成，但是那一地方因為昨日剛下過雨，黃泥院子，把每個人的鞋底都沾了一層黏不拉嘰的黃泥；眾人就在僅有的草地上又磨又拖，但效果不彰，只能找到馬路上幾處雨水留下的坑窪處，在水中清除鞋底。等到眾人收工上了車，才開了三分鐘，就紛紛被車內濃郁的臭味打敗，然後才開始揣摩，剛才受訪老兄所豢養的十幾隻流浪貓，肯定在土裡、草中留下了許多排泄品；我們紛紛下車，分頭在馬路上尋找水窪，洗著鞋底的同時，還有人建議，乾脆把鞋子扔進停車處邊上的大型垃圾桶，再轉到海法去買雙新鞋。

我們為了趕路，還是相忍車內漂浮的臭味，沒有從爆滿的車陣中，轉出主道，前去海法買鞋。只不過，我一直不好意思招認，或許之前趁著空檔，偷偷繞到方才受訪者屋側的長草區域，解決了一泡尿，因而帶回流浪貓遺留下的附贈「紀念品」。

第二篇

轉意情更濃

言行合一
就是他

據說，他走得很突然。

醫生與護士已長時設法找出感染的源頭，因藥物而昏睡的他，縱然無法言語，卻是透過機器表了態——血壓瞬間急速下降，然後，心跳也漸緩、漸緩……接著就是靜止。他以實際行動實踐了生前對死亡的概言——我的作風一定要走得灑灑灑灑，乾脆利落，沒有遺憾。

他是傳播界、商界、公益界裡，許多人所標明的「體己、明理又貼心」的好朋友——他是劉忠繼。

在抗病的十個月當中，他絕對是醫生與護士眼中最為合作的好病人，無論再難受的檢查或是最痛苦的治療，他總是麻利地點頭答應，好似沒有一點情緒反射；其實他私下說過，內心裡多少會有恐懼與無奈，只不過，他就是擺明了，與血液裡癌細胞抗爭的絕地戰場上，他就是萬夫莫敵的英勇戰士。

記得是二〇二二年四月十四日，是忠繼的生日聚會，他安排的某家餐廳，經營者是他的舊識；忠繼悄聲告訴我，雖然菜色好、價錢公道，但經營困難；那晚，很難得的，忠繼的兒子仁寧也出席了。忠繼依然談笑風生，酒興不減，與兒子仁寧手中的酒杯一樣，一下子就空下來了……。沒隔幾天，卻傳來他的造血功能造反，也就是說，他罹患了血癌。

忠繼果斷地決定，全部聽信榮總醫生的安排，要做脊髓移植的手術；還有，五月十四日才出院，十七日就在法鼓山退居方丈果東法師的主持下，與另一半許惠珍同時皈依佛門，正式成為佛弟子。他在近二十年前，因父親往生，親眼目睹法鼓山果選法師與蓮友們為父親助念，曾大受感動；過後，只要法鼓山任何錄音、活動的邀約，他都照單全收，沒有任何猶疑。只不過，他在許多好因緣下，一直都沒有皈依，我有點納悶，倒也不好去問。直到這場來勢洶洶的病魔來犯，他才跟我直說，只因擔心自己不夠好，沒有資格皈依，才蹉跎了如此長久的年月。我在電話中笑話他想太多，皈依如同註冊，驗明正身佛教徒的身分，只求一份歸屬感，以及尋求慈悲與智慧的學習之道而已。忠繼不再猶疑，跟我說，他願意！

忠繼是我世新的學弟，我們先後參加過世新合唱團，我是第十屆，他是第十四屆團長，也就因為此一團體前後學長、學弟妹的情感鏈接，就算年紀有長幼，我們卻很自然的連結成一面無法脫落的綿密網絡。數十年來，唱歌、聚餐的約定，從未中斷。忠繼也曾在工作上給予我很大的助力，他在《點燈》節目任職的短暫半年裡，是我最是悠遊自在的美好日子，所有行政、節目的事，他全都承擔於肩……。就在他往生的最後一刻，他仍是點燈文化基金會的董事之一。

忠繼對於工作十分投入且熱誠，當年北京天安門事件，他在槍林彈雨中採訪新聞，如果不是當時臺視新聞部主管的李四端下令他立即撤離，他還十分不捨。他由北京搭機經東京成田機場回國途中，我到機場去接他；那晚，領著他去東京新宿的居酒屋洗塵過後，忠繼乾脆留我在飯店共宿一晚，幾乎把他在北京歷險的過程，全都講了一遍給我聽。

忠繼的內心有著非常嚴謹的一把尺，尤其針對人際關係；他的嘴很緊，只說過眼的有趣雲煙，不道敗德的人事傾軋。有一回，他辭去某電視臺的主管職務，清理完置放於辦公室的雜物後，我與他夫妻倆餐敘；忠繼離席去上洗手間時，惠珍含笑對我說，她家的這個人實在有夠瀟灑，每個月那麼高的薪水，他居然毫不心疼地給放掉……。那晚，忠繼絕口不提職場裡撞到的是非，只是自在地喝酒吃菜，但我從他的眉眼間，讀出了某些無法言喻的蹊蹺。

忠繼在復興航空服務期間，接連兩年遇到空難事件，面對如此棘手的困局，一般人或許避之唯恐不及，但是，老闆徵詢他如何面對大批採訪媒體的應對之策後，忠繼居然自動請纓，願意面對最是複雜艱難的家屬賠償的區塊。我曾在《貪生怕死》的Podcast節目中詢問忠繼，當時為何願意蹚進此一渾水裡？忠繼說，曾為媒體人，很難抽離一樁如此重大的事件之外；同時，他也不忍在公司員工一團亂的局面裡袖手旁觀，也想以同理心，來面對那些驟逢巨難，心迷意亂的罹難乘客家屬們。

忠繼說，許多悲痛已極的家屬，以極其尖銳的語言咒罵他，甚至波及他的家人，但是，忠繼不但沒有任何不豫，還立即設想，如果是他自己的家人罹難，他是否會用更為惡毒的語言來扔擲給航空公司的代表人員？於是，他遠飛大陸的長春，處理一對母女的賠償問題時，對方的家人當面下令，要他跪下，陪同忠繼前往訪視的國臺辦官員要他別跪，忠繼說，如果不跪，罹難家屬如何得以解一口氣，坐下來與他談論賠償的具體內容？同樣的，在殯儀館裡，看到遇難者的大體在禮儀師盡心費力的縫補下移出時，他如何可以不跟著家屬們一起跪下？那是人間何等大悲大慟的重擊啊！

另一位生還的年輕人，下半身癱瘓；前四次拒絕開門見他，甚至讓他在豔陽下枯站在門外一個多小時。所幸，終於開門的一次對談裡，生還者提到了聖嚴法師，說是法師的開示對他有療癒的效果，忠繼立刻拿出手機，找出他為聖嚴師父的著作錄音的視頻，對方的態度丕變；接著下來，他不但有冷氣吹，冷飲喝，還在到訪的第八次簽下了賠償同意書。最讓忠繼窩心的是，生還者最後輕聲問他，往後可以與他做朋友嗎？

看遍人間生死掙扎的煎熬哀喪，忠繼自己也遭逢到難病重症的逆襲。他平靜地對我說過，如他的病歷，最好的情況至多也還有六年的壽命；卻沒料到，不到一年，忠繼在遍體鱗傷的情況下，還是瀟灑地卸下盔甲，奔向佛祖的懷抱。聽到他離世的噩耗時，立刻有一個畫面定格在眼前，那是惠珍傳給我的——兒子仁寧準備去醫院存取脊髓捐贈給父親，忠繼緊緊擁抱著高他一個頭的仁寧，臉，已哭皺成一團。

大難來時相依偎

我一直喜歡觀察這對絕配夫妻，覺得他倆是天造地設的一對。

男士似乎天生就很靦腆，哪怕日後七老八十了，想要說話的表情，都會像是五歲小男生的害臊，連臉上厚重的眼鏡片都藏不住那好奇中帶有試探性的閃爍眼神。每回開口說話，他都習慣性地思慮用詞遣句，所以會慢上二分之一拍，但哪怕是一個小頓挫，都附有小心翼翼的用意，為的是提防一句話貿然出口，有所閃失，會傷到了人。

女士恰好完全相反。她從未刻意掩飾生來就純然犀利如X光的目光，好似早早就注定要當醫生，日日檢視病人的透視片子。她一張嘴，每句話語的迸出，就是要趕上腦部的滾動行進速度，那根本就是連環子彈，沒有虛發，都是真心切意；這也完全寫實了她毫不矯飾的個性，是真正開敞痛快的快人快語。如果夫妻倆難得同時出現於一席餐會，舉酒杯有如千斤重的永遠是先生，太太杯中的酒水經常在無意中就自動消失了。

他倆都是醫生。先生是國內心臟內科的名醫洪惠風，太太曾是榮總感染科的「當家花旦」楊素盆醫師（感染科劉正議主任逢人便說，楊大夫是全榮總最聰明的女醫生）。此刻，洪大夫的身影依然忙碌穿梭在醫院裡，他的門診永遠被病患灌爆；楊大夫卻是選擇了一個華麗的轉身，提前退休後，重新考進東吳大學專攻法律，不但繼續當學霸，順利畢業，最近還考到了律師執照，興致勃勃地進入律師事務所，當起了實習律師。

最近這些年，因為楊大夫的勤學精進，夫妻倆很少一同外出，每天下班回家，洪大夫都選擇外食，因為節奏快速的楊大夫，唯獨在廚房裡成了漫步蝸牛，往往要自下午起，就要在廚房洗洗切切，弄了幾個鐘頭，才好不容易的把晚飯布上飯桌；疼惜老婆的他，寧願老婆將時間用在「正途」上。難得有機會爆老婆的料，洪大夫也會形容，家裡的書桌上，楊大夫同時可以一心三用，一邊是與法律相關的工具書，一邊是論文報告，另一邊則是正在追的劇，楊大夫真的可以像是電腦切換，隨時可以做完美的接軌，不會有任何的違和發生。

話雖如此，幾年前，洪大夫的著作《為什麼心臟病總是突然發作？》出版，出版社安排了洪大夫某晚在某一書店做演講與簽書會，楊大夫放棄了用功的時間，親自跟到了現場，笑瞇瞇地從頭坐到尾，見到我也只是輕輕地揮了揮手，一逕注視著洪大夫被粉絲圍繞著；哪知道，那是楊大夫一種莫大的享受，當然也就沒有過去寒暄叨擾她了。

前些日子，偶然得知洪大夫是名作家楊渡的鐵粉，我就雞婆地問他，改天安排他倆相會可好？沒想到洪大夫難得的衝動起來，立刻應允，並開出他可以騰出的時間，並且開心的說，老婆大人總算不再繼續認書不認他（學已有成），可以出關，得以陪他外出與朋友相約了。得知此一好消息後，我還故意揶揄道，可以早早列入二〇二二年朋友群中的十大新聞之一。

事先得知當日的主客楊渡懂得飲酒，而且偏好白酒，平日幾乎不飲酒的他倆，很有默契地掏出了家中多年前自大陸攜回的兩瓶茅台酒。第一瓶，顯然已被天使偷喝了三分之一（時久而蒸發了），根據瓶上的記載，已有二十年的年歲也。餐廳老闆娘拿了酒杯過來，一看到酒瓶，就睜大了眼睛嘆道，這瓶酒比當晚餐廳的所有收入都要來得貴……。想當然爾，菜還沒上完，這瓶身價具有四個零的好酒就完全消失了。我同時也發現，洪醫師沒有任何抗拒，以正常的速度，陪同主客，喝盡數小杯；女主人毫不做作，只要一個不小心，就自動舉起杯子，喝乾了杯中物，然後自我解嘲道：「我的酒量真的不好，只是我習慣喝掉它而已……」第二瓶，雖然較第一瓶年輕了五歲，但酒香依舊撲鼻，才一入口就自動滑入喉間，沒有絲毫勉強。

洪大夫坦言，是楊渡的鐵粉，楊渡的每一本著作，他都收集齊全；為了是晚的相聚，洪大夫還加緊做了功課，讀了楊渡得了大獎的新作《未燒書》。於是，他倆可是有得聊了，經常忘記舉箸吃菜，可讓我這老饕撈到了先機，任何好料，我都毫不客氣地先祭了自己的五臟廟。

楊大夫（應該改稱楊律師了）只是偶爾提醒另一半與客人，別讓熱菜冷了，她自己則是非常適意又自在地與我及妻，聊起我們共通的話題……。說著說著，忽然提及當前的疫情，洪大夫與楊渡也被吸引了過來。楊大夫指了指身旁的洪大夫說道，前一陣，洪大夫自己在臉書上也提及，為了醫院對疫情隔離病房的安排，洪大夫要負起某種吃重的責任，基於愛護妻子，洪大夫主動提出，要與妻子分房而睡，沒想到楊大夫氣得差點給洪大夫一巴掌；她說，二十年前，SARS 來侵時，要較此次 Covid-19 更要緊張，大臺北的南端都已淪陷；原本還會七上八下的醫護人員，一見到病患轉送到榮總的隔離病房，根本沒有任何考慮，第一個反應就是立刻迎了上去……。既然連那次危機，他們夫妻都走過來了（當時就連孩子就讀的小學，聽說孩子的父母在榮總服務，還要求孩子不要去上學），這一回，當然就更不應該將利害關係置於夫妻之間。說著說著，我先是發現楊大夫的眼底泛起了閃閃的淚光，洪大夫那廂，縱然有厚重的鏡片掩護，但我還是看到他的眼圈跟著泛紅……。

「夫妻本為同林鳥，大難來時兩路飛」，這是貫穿古今，我們早已熟知的世道理論；時至二十一世紀的今天，洪大夫與楊律師卻為此一論調做出了新解——大難來時相依偎；這真是值得大書特書的美談不是？

讓我們會傻瓜去

我喜歡與傻瓜為友。

此處指的傻瓜，是明知不可為而為，只因胸懷有熾熱不退的理想與抱負。

有幸製作電視節目《點燈》，讓我三十年來，結交了許多傻瓜朋友，外加信仰上結緣的善知識，如同集郵一般，擁有了一大冊、一大冊的郵票簿，包括臺灣與海外的眾多傻瓜，稱得上是琳瑯滿目。

二〇二一年的五月中旬，疫情正嚴重的在臺灣各地烽煙漫起，計畫了一個多月的雲林傻瓜行，自然面臨了延期的慎重考量。我因四月上旬，在雲林虎尾，參加了一場新書的演講會，與在斗南結識的插花老師林秀玲，外號「花花老師」，取得了共識，準備吆喝臺北的幾位朋友，舉辦一個四天三夜的雲林行，到雲林去認識幾位有趣又執著的傻瓜，並為他們加油打氣。

身為召集人，我自有道義上的責任，如果此團的九位團員，有任何一位表明不安或是畏懼疫情的氾濫，我當然就順勢鳴金收兵，取消行程。另外，我也與花花老師做好協調工作，彼時，雙北市的染疫人口往上直飆，中南部的朋友，或許會很在乎南下的天龍國子民，將病毒也順便夾帶入境。出乎意料之外，花花老師雲淡風輕地回覆我，此行的行程，無論住宿進餐，都是包場性質，不會與其他的團體交會，安全係數應該非常高，除非團員們有意延期。

聽到我的轉述後，天龍國的團員們沒有任何異議，全體通過，按照既定行程，揮師南下。

出發之日，由北至南，臺灣全被梅雨浸泡在汪洋的煙雨中。我們兵分三路，三輛車子，先後由臺北、淡水、竹北出發，彼此約定，中午十二點，在花花老師位於斗南的複合式教室集合。說來不可思議，中午十二點差五分鐘，這三輛車子，居然在同一時間抵達，花花老師瞪著原本就不小的眼睛，連說了三次不可思議。

花花老師就是雲林的「第一號傻瓜」。原先在臺北天母住得好好的，竟然跑到雲林，做起社區再造的黃粱大夢。她花了數百萬，將一間廢棄的老屋重新賦予了新生命，卻只與房東簽了十年的約，所有的朋友都笑她傻，從她在老房子經營的插花教室與麵包咖啡店來看，別說是十年，或許二十年、三十年都回不了本。更有趣的是，她刻意打造那條老巷子的生氣，主辦跳蚤市場，邀請有志推廣無農藥作物的小農來擺攤不說，還花了很多錢，將對面垃圾與雜草共生的院落清理乾淨，想讓來客停車，沒料到房東獅子大開口，要她納租金，她還沒來得及同意，房東竟絕情的將院子全都圍了起來。

雖然人人都訕笑花花老師太傻太呆，她卻永遠擺出甜美的微笑，無愁無憂的回答，沒關係啊，到時候再說吧⋯⋯。話雖如此，她卻是嚴肅且認真的，尤其談到與她一同打拚的小農與公益團體，她可是將未來的合作藍圖，描繪得清晰又飽含希望。

可以想見，咱們這支雲林傻瓜團，在第一站，就被花花老師完全降服，吃完可口的中飯後，還湧到麵包店，搜刮一些產品，連鮮奶都不放過；還有人誇張的建議，兩天過後，我們再由海邊回頭，來買健康好吃的麵包可好？

滂沱豪雨，絲毫不給天龍國的人一點面子，時間一到，替我們策劃行程的花花老師，好在事前就停了插花課，親自領著我們在密實的大雨中，奔向古坑正在建設中的夢土「慈心大自然莊園」。才進園區，就看到一大片波斯菊的花草間，停佇有上百隻的白鷺鷥，搶著拍照的潔西卡說，這些鳥最聰明了，知道那是無農藥，又有許多昆蟲可吃的良田沃土。

大雨中，一位撐著傘的中年帥哥早已在停車場守候著。花花老師毫不在乎雨勢，率先下車，看到停車場奔流的水勢，我一咬牙，脫了鞋襪，赤腳跟上；那位中年帥哥原來就是傻瓜總經理陳明泉，笑著對我豎起大拇指，讚賞我最是聰明，在這已經養生十二年的無農藥草地上行走，恰好可以不花分毫的磨平腳上的皮角質（他怎知我有數十年資歷的香港腳？）

這片占地十五公頃的平原，曾經種植了數十年的甘蔗；明泉總經理說，可以想像這片被農藥蹂躪了數十年的土地，有多麼的淒慘無助，是故，他們首先向這片土地道歉，讓土地修生養息了十二年，才開始做整體的規劃，日後將以生態農場做主軸，再配合周邊產品的研發部、飯店、餐廳、教室……，希望能成為最具教育意義的家庭、親子、學生、情侶等共享的生命園區。

我們在他的帶領下，慨然接受迎賓大雨在傘上大跳踢踏舞，越過荷塘、小橋、花道，彷彿已見到一群傻瓜所打造出的一方夢寐中的夢土。

四天三夜的行程，事後發現，居然被花花老師言中，真的不夠哇！我們穿過雲林的山林，可以說是處處飄有咖啡香，就連路邊的快炒餐廳，年輕的老闆忙著炒菜為我們果腹後，又介紹他自家栽種咖啡的特質，還立馬手沖咖啡，外加咖啡外殼所製作的果茶，給我們試飲：可想而知，這支傻瓜隊果然再次淪陷，不但買咖啡、買茶，就連老闆娘剛烤好的蛋糕，都立馬打包，絕不猶豫。

在石壁的農家，傻瓜老闆陳安邦，帶著我們吃了自己採擷的新鮮香菇，還另外招待了一堆食物：自栽的綠茶、香蕉、醃脆梅、桃子，卻沒有主動推銷他的產品；好在咱們都是懂事的傻瓜啦啦隊，買香菇、買綠茶、買桃子，忙得不亦樂乎。而後去到虎尾，在「雲林記憶 cool」與傻瓜林淑娥會合，她簡直吃了雄心豹子膽，承租了日據時代臺南地方法院的虎尾出張所，免費讓遊人入內參觀各種文物展覽，追溯過往年歲的細微記憶；又去臺西，見到穿著藍白拖的刺青老師丁仁桐，像煞隨時會掏槍出來的兄弟，但他竟是文藝性極強的「海口故事館」掌門人，同樣不收門票的招呼訪客，教導大小孩們把著剪刀，裁紙剪貼，藉由勞作回到數十年前的童話故事裡。

結束雲林傻瓜行，歸程中，另外兩部車紛紛傳來捷報——自行快篩，都是陰性；也就是說，因為吃得飽、喝得足，精采動人，天天歡快，這四天裡，人人的免疫力都達標——身心健康哇！

肝膽相照的摯友

小時候讀章回小說，經常被文裡的兄弟情誼感動到血脈賁張，熱淚盈眶。加上在眷村長大，男生所湊成的玩伴，適時地滿足了我沒有兄弟的遺憾；除了有時打架，少了幫手，多少還是會頓足長歎，埋怨母親的肚子真是不爭氣，沒為我生出個兄弟來。

人都會如此，當你察覺出生命裡存有某種缺憾，就會往內求；於是，我特別喜歡交朋友。哪怕是初中四年（留級一年），讀得坑坑疤疤，感覺每天的天空都是灰暗的，學校都是黑白二色，我還是會有勇氣，邀請班上幾個看得順眼的同學，到家裡來吃母親包的水餃、滷大腸，父親炒的辣椒蒜苗牛筋。

到臺北唸了世新，總算遇見了許多情同意合的好同學，他們來自臺灣各地，卻都愛唱歌，世新合唱團讓我擁有了許多異姓兄弟。

等到出了社會，當了記者，遇見了小人，遭到了背叛，嚐到了成人社會的冷暖人情，也就更要感嘆，茫茫天涯，芸芸眾生，如何才得以覓得一個肝膽相照的知己啊？

某次記者會結束，一個高大偏胖，臉帶醬色的同業，拿著名片，走到我的面前，自我介紹道，他姓屈，委屈的屈；我差點當場爆笑，哪有人如此形容自己的姓氏？起碼也該是屈打不成招的屈啊！

他原是某大報駐基隆的記者，剛調到臺北來，名姓果然威武——屈振鵬，大氣啊！人說同行相忌，他卻敞開胸懷來誇讚人，指出我的哪一篇稿子，哪一段寫得特別好。我急著搖手，要他別說了，自己幾斤幾兩重，當然知道，過譽的結果，就是害我面紅耳赤。

因為路線相同，我們每週都要在記者會上見面數次，自然就更有話可聊了。有天，他偷偷跟我說，老婆上午剛生了個胖小子，我大聲恭喜他，他立刻要我降低聲量，我問為何？他說，不願採訪對象因而送禮，他不喜歡。

當天晚上，他一下班，就帶著我趕到基隆的醫院，探視我們口中的「小屈屈」。手中抱著剛報到的兒子，升了一階，我自此改口，直呼他為「屈老大」。

屈老大有一套好手藝，可以煮出一桌好菜。自從把家搬到臺北景美後，他家成了我家，只要一有好吃的，絕對會叫上我。有一回，他把結婚沒喝完的一堆紹興酒全都搬了出來，要我們一堆食客幫忙銷掉，不要占了他家陽臺，不好晾衣服。接到他的交代後，當天晚上，我特別神勇，威猛地捉對廝殺，不但不負使命的將一個個空酒瓶倒立在牆角，居然也沒醉，還能搭公車回家。

我與屈老大達成默契，並聯合幾位合得來的同業，只要接受了採訪對象的宴請，改一天，我們就聯名回請，不要欠下人情是一，更不願落下一個記者嘴大吃四方的負評。

我後來出走日本，出國前，屈老大經常陪同我去吃送行酒宴，等到喝不動了，屈老大就出面替我擋酒，幫我乾杯，其實他早有血壓、糖尿與心臟的毛病，平日根本就滴酒不沾了。有時看我哀哀求救，屈老大乾脆出面回拒宴請者，只說我的行程滿了，再也挪不出空檔。

知道我在東京省吃儉用，不敢花錢，只要一聽說某一同業或是朋友要去東京，屈老大就火速張羅吃食，要人家帶給我。有一回，午夜飢腸轆轆回家，剝開他剛託人帶來的湖南大粽子，餡香米糯，我接連吃了三個不說，又加了兩顆鹹蛋，三片燻魚，這下真撐著了，直到天亮都無法睡下。

等到我班師回朝，重新在臺北落腳，依然在線上採訪的屈老大，成了我真正的守護神。只要外界有人以不實的傳言詆毀我，屈老大會第一個站出來，痛斥對方說話不負責任。只要我在工作上有了不錯的成績，他立刻內舉不避親，洋洋灑灑的在報上讚譽我，說是節目做得好，清新社會的好風氣。有一回，我笑著跟他說，如果我是江洋大盜，偷搶了人家的財物，他也會偏袒我，甚至讚揚我偷搶有理。屈老大也笑了，他說，知道我絕對做不出傷天害理的事，若是真有那一天，我肯定也會是義賊俠盜。

有一回在他家吃飯，酒過三巡，他家的小屈屈忽然鬧起脾氣，不但哭鬧不休，還出手捶打他的母親，這還了得？我立刻指著小屈屈痛罵，這麼小，就敢打媽媽出氣，長大還得了。在場的賓客們都被我嚇壞了，就連屈老大都傻傻的站在廚房門口，尷尬的進退不是。最後，也還是他自己圓了場面，說是古人也是易子而教。散席後，另一位朋友好意地跟我咬耳朵道，如果換了另一個人，很可能會對我方才的態度心生不滿。

過了幾天，我向屈老大正式道歉，屈老大反而感謝我，他說，自我開罵後，一旦小屈屈鬧脾氣，他們夫婦只要一聲「阿斗叔叔來了！」小屈屈立刻偃兵息鼓，鑽到被子裡，許久不敢探出頭來。

時間有如每天都在冒頭生長的頭髮，我們只是無從察覺。小毛孩長大了，我們老了。一轉眼，小屈屈考上了東吳日文系，我知道屈老大開心極了，但他故意輕描淡寫的說，希望兒子日後有阿斗叔叔一半的出息就好了。

隨著年紀增加，屈老大每天都要吃高血壓、尿酸、膽固醇的藥；他也會將婚姻以及兄弟間許多無奈的煩憂說給我聽，我頂多安慰他兩句，卻是什麼都無法幫得上忙。有天下午，我們吃完中飯，離開一地下室餐廳，照例是走路聊天。屈老大是那種颱風天都捨不得坐計程車的人，寧願轉公車、走路，就是要省下錢給兒子用。走著走著，屈老大忽然站住，喘大氣，我問他怎麼了？他回說，走不動了！我這才驚覺，他的心臟已然支撐不住那龐大身軀；醫生要他準備換心，竟是真的。

蹉跎一陣後，屈老大終於下定決心，接受換心手術，我知道他強忍恐懼，為的是一份當年青梅竹馬，失而復得的感情。只不過，手術卻是失敗告終，他在手術臺上，無法合攏不甘心的一雙眼。

多年過去，如今，小屈屈結了婚，也替屈老大生了一個孫女。這一下，他不再是委屈的屈，而是屈膝抱童子的屈了。而我，縱然失去了一個肝膽相照的摯友，但我沒有絲毫遺憾，我挺有把握，小屈屈會填補他父親的位子，任何時間，只要我開口，他都會舉杯邀我同飲……嗯，好多杯。

有位導演叫老頑童

打從第一次見面開始，我就覺得，他頭頂豎著的隱形 wifi，就算沒有密碼，我都能開啟，或許，這就是所謂的緣分吧！

他是王正方導演，一位棄文從武（不做旅美的大學教授，跑去幹無日無夜的電影導演），跌碎世間評斷人生價值所有眼鏡的「怪胎」、「傻子」；其實，他只是由小頑童一路隨著歲月的疊加，成了老頑童而已。

據他自己說，他自小就調皮搗蛋，喜歡模仿老師的口音、同學的怪招，經常引起教室裡一片哄然，哪怕是被老師處罰，他都視為甚是得意的傑作。在學校裡，他絕對不是好學生，功課也不出色，卻因考運太好，一路由建國中學，考上臺大電機系，然後赴美留學。但是，他真正嚮往的卻是電影。

就讀建中時，他經常鑽進對面的植物園裡鬼混，有一天，發現電影《吳鳳》正在植物園裡拍攝，單單是重複拍著演員跨進官舍門檻的鏡頭，就花了好幾個小時；王導在一旁看傻了，只覺得簡直太有趣，怎麼會有如此生動的職業，遠比在學校讀書要有活力得多。

就在他考上臺大電機系的暑假，他還跑去報名「中國電影製片廠」的演員甄試，主考官是當時赫赫有名的袁叢美大導演（彼時被稱為影壇尤物的大明星夷光，就是袁導演的夫人）。自小在《國語日報》創辦人的父親身旁，王導的北京話，自是字正腔圓，當他念完一段對白後，袁導演的眼底閃過一道亮光；只不過主考官要拍板錄取他時，發現他的報名表上，父親一欄是空白的，就直接詢問他為何沒填？王導沒轍，只好爆出父親大人的大名——王壽康。這下，就連坐在一旁看畫報的夷光都回頭打量他了。沒話說，原來王壽康先生正是教導演員正音的著名老師，一般的導演、演員哪有不識得的？這下，王導的明星夢破滅了，他也只好乖乖的去臺大報到，繼續讀書去了。

大學畢業，到金門當兵，親眼見到部隊裡自大陸撤退來臺的老兵們，他們還真是臥虎藏龍，幾乎個個都有本事；雖然大都家破人亡，獨身在部隊，卻還能笑看生命的撥弄，堅實地過上每一天；王導經過此一洗禮後，又學會了南腔北調的各省方言與腔調，充實了他另一頁的人生篇章。

去到美國後，遇上大時代的浪潮，為了倡議釣魚臺的歸屬中國，他投身進入在美國華府等各地的抗議遊行，成了學運的帶頭人物，甚至被延攬去中國大陸參訪，還被周恩來接見，自此上了國府的黑名單，有家歸不得，不能回臺灣。每當王導提及，最是疼愛他的父親在臺往生，卻無法回臺奔喪，王導都要難過的哽咽流淚，那是為人子女最難承受的折磨。

因緣際會，只因熱愛電影，王導在美國不曾閒得，雖然要上班教書，很多人找他寫腳本，拍紀錄片，他都全盤照收；直到他的好友戈武在香港籌拍電影，卻因一個小手術而過世，許多朋友難過之餘，想籌拍一部電影，將戈武的經歷記錄下來。香港導演方育平，在美國留學時，就經常與愛好電影的王導、戈武混在一起，於是就邀請王導放下教職，前往香港撰寫《半邊人》的劇本，一同打拚，沒想到王導心一橫，真的正式踏上了電影這條不歸路。

《半邊人》是以熱愛電影的臺灣人，落魄在香港，與一位同樣熱衷戲劇的賣魚女，所衍生的似有似無的一段情，並帶出那個時代的特色與時空。等到電影要開拍了，卻找不到飾演戈武的男主角，最終，只好把王導推上陣，沒想到居然就入圍了隔年香港電影金像獎的最佳男主角獎。

《半邊人》的幕後老闆是香港左派公司，想當然爾，該片也被當時的中華民國政府列為禁片，無法在臺灣上映。數十年過往，時代的大潮湧上又退下，岸上的景物連同人心，都有了大幅度的改變；不信邪的王導，忽然福至心靈，想將臺灣觀眾不曾看過的《半邊人》引進臺灣。

王導的另一半，馬淑靜，馬姐說，王導是個很怕麻煩，也非常厭惡與各種機關打交道的人，為了《半邊人》，卻能不厭其煩的打電話，發伊妹兒到香港的發行公司。一開始，發行公司的窗口懶得理他，但是王導不屈不撓，持續接觸，沒想到，那位窗口先生忽然離職，原先打的底子一夕瓦解；王導嘆口氣，乾脆直接去找電影公司的老闆，沒想到，鐵杵真的磨成了繡花針，老闆居然同意了，雖然立下了許多規定——只賦以一年的時間，僅可公益演出，不准商業行為等。王導開心極了，配合臺北電影節的活動，將此片正式在臺北推出。

只不過，僅憑著王導、馬姐夫婦的絕少資源，《半邊人》在臺灣的重見天日，還真是吃力。馬姐每天上網搶票，招待王導的文藝界朋友觀賞，票還得不能太差，否則無法向朋友交代。同時，一些大學院校，包括王導的母校臺大都來邀請，王導還得隨片登臺，否則又要失禮。馬姐說，整個臺灣，如果要找一位年屆八十四，還忙到昏頭轉向的老先生，那就非王導莫屬；另外，他每個月的稿債都還排著隊在等候著不說，還有人生四部曲的第四本回憶錄正在撰寫（最近出版的《調笑如昔一少年》就是第二部）。可憐被腦神經病痛折磨到腳步都踏不穩的馬姐，成了萬事都得扛起的小妹，就連香港電影公司由電腦發來的電影拷貝，她都四處求爺爺告奶奶地奔波疾走，才能一步步地找到解碼，抓到按時上片的節奏。

有時候太累了，馬姐會向王導撒嬌，問他道，王導的眼中，馬姐的優點是什麼？王導故弄玄虛，睜著眼睛發呆，馬姐繼續盤問，王導回說：「正在想」；馬姐不依，硬要他作答，王導深情脈脈地看著馬姐：「除了缺點以外，其他都是優點……」，瞬間，馬姐鳴金收兵，完全被王導打敗。

老頑童是我們這些朋友間的開心果，更是開胃菜；面對此一人間珍品，大傢伙可要好好珍惜著、哄著、愛著、護著，千萬別惱到他；可別看他成天樂呵呵的說笑話，逗大家樂著，人家心中自有丘壑，愛惡分明，肯定懷有不成文的規矩，埋有不可跨越的紅線，千萬留意，切記！切記！

星隕光猶在

小時候的生活環境貧瘠，電影是最受歡迎的娛樂活動；後來有了電視，許多電視明星就像是家人一般，進入了家裡的客廳；由他們串演的電視劇，更成了鄰居與同學的共通話題。

等到北上讀書，有了機會進入臺視打工（那時只有老三臺），每天見到的都是電視裡演技精湛的明星，無論是老一輩或是青壯的演員，真是各個出彩，各有本事。

曹健與錢璐賢伉儷，對我一直非常照顧。曹健的大嗓門是有名的，反應也快，任何人都降不了他，只有錢璐。有一回在排演間排戲，曹叔叔又與其他的演員拌嘴，有人挺不住，剛好見到錢璐進來，就立刻告狀；錢阿姨輕輕地跟告狀者說：「你乖！別怕！

我來罵他！」然後一轉身，朝著曹叔叔，帶著笑容，輕聲細語地說著：「曹健啊！你也要乖一點，知道嗎？」曹叔叔忽然由張揚的獅子，轉身為溫柔的小貓咪，排演間頓時響起了哄堂的笑聲與掌聲。

曹叔叔晚年中風後，我適巧幫臺視的四十週年慶製作了單元劇《四十有夢》。我直接跟錢阿姨說，這麼重要的節目，少了曹叔叔太遺憾，錢阿姨表示，曹健的中風，什麼都沒傷到，就是影響到說話神經，不能說話怎麼演？我回錢阿姨，沒關係，就讓曹叔叔飾演一位因為家庭巨變而患了失語症的老者，錢阿姨立刻同意。在公司試裝的那天，錢阿姨滿頭大汗地帶來了好多套曹叔叔的西裝、襯衫與領帶。錢阿姨偷偷拉著我到一邊，紅著眼眶說：「曹健一輩子就愛說話，沒想到老了卻遭此報應；我想，這一次應該是他最後一次演戲了，也好，讓他圓了一個夢，不會再有遺憾了。」《四十有夢》上演前，臺視特別開了記者會，曹叔叔拿著飽滿的漂亮氣球，與眾家演員一起登場。沒過多久，他在家中浴室再次摔倒中風，從此再沒醒過來。

我起初有點抗拒這個消息，但還是不得不前往內湖三總醫院後山的殯儀館給曹叔叔上香、鞠躬。面對著曹叔叔那張眉眼有戲的遺照，我彷彿聽到他那大嗓門又在耳邊響起：「啊！光斗啊！你也來啦！」

錢阿姨在老伴往生後，決心搬離傷心地；聽從一位朋友的建議，將地點很好的住家賣掉，另買一個很小的公寓搬了進去，沒過多久，錢阿姨有點後悔，但已經來不及了。我們幾個臺視的老友，有時聚會，約了錢阿姨，她偶爾應卯出現，但後來寫了封長信給大家。信，寫得真摯動人，說是年紀大了，身體不好，也懶得走動，但非常想念有情義的昔日小朋友們，還聲聲稱呼我們小乖乖，祝福我們要開心健康。因為如此，慢慢沒有了錢阿姨的消息；然後聽說她走了，就再也聽不到她那一聲聲溫暖，有如銀鈴輕響的「小乖乖」。

數年前，國臺語雙聲帶演員華真真號召，並由董德齡的推波助瀾，臺視的許多演員在董德齡開設的餐廳裡聚會。那一趟，真是來了不少昔日的大明星，就連已經不愛出門的臺視一號小生江明，為了與臺視劇務之一的老友杜士林相會，硬是與另一半蔡慧華從淡水趕了來；家住臺中的華真真，住在楊梅的丁強，也都歡喜出現。雖不是臺視的基本演員，中視的馬之秦、劉長鳴也都聞風而來。會中，江彬忽然提議，老友相會太不容易，不妨組成一個老友群組，也方便日後的彼此聯繫，並要我取一個群組的名稱；我沒有多做思考，脫口而出四個字：美麗人生。

這個組織鬆散的群組，每隔幾個月就聚會一次：二〇二二年的五月，原本有個盛大的聚會在臺中舉行，由華真真當主人，卻因疫情的突然爆發而臨時喊停。後來，陸續還是在臺北召開兩、三回，老友們在風聲鶴唳的疫情中相聚，相互唏噓一番，頗有隔世之感。席中，大家各自帶來的酒，根本喝不完，都以我的名字放在餐廳裡，如今，聽說那間餐廳也歇業了。曾經有人問我，為何見不到馬之秦？我曾多次與馬姐聯絡過，她一直抱怨全身痛，尤其臂膀舉不起，怎麼看醫生都看不好。

那幾回，住在楊梅的丁強都開車前來，每一次，也都帶著他簽過名的小書《臭屁禪》送給我們；有夥伴輕輕地說，上回不是送過，怎麼又送了？另一人趕緊壓低著聲音叮囑，沒關係，別聲張，老先生大概忘記了，趕緊就收下吧。

丁強每次聚會，話都不多，有一回，唐琪當場拿丁強當靶子，說是丁強當年追過無數美女，還真是風流得可以，全場哄然的同時，丁強除了跟著大笑，也只能指著唐琪，依然啥話都沒說。最近的一次，我們開席了許久，仍不見丁強的影子，我打電話也沒人接，施茵茵說，可能臨時有事吧？等到菜上到尾聲，丁強才出現在包廂門口，旁邊難得跟著李璇，李璇說，丁強忘了餐廳在哪兒，在附近繞了一個半鐘頭以上，總算找到了。話雖如此，丁強還是特別叮囑我們，李璇茹素，但是蛋奶都沒關係，由此可知，他始終對李璇好，沒有辜負當年娶走李璇，傷了萬千男性電視觀眾破碎了的心。

今年農曆年前，才聽說丁強有失智傾向，沒想到大年初六的晚上，就傳來他摔跤後送醫，無法再走出醫院一步了。丁強往生的半年前，一生好強好勝，在螢幕上特別能詮釋堅毅女性角色的馬之秦，也因罹患難病而病逝。

人生舞臺上，誰都有謝幕的一天。昔日那些炫麗奪目的演員們，也都無可避免地會走上這條路。感謝他們曾為觀眾帶來解憂除悶的時空，外加觸及不到歷朝歷代的前人過客的故事之餘，當然也會為他們，也為自己慶幸，美麗人生，你我都曾擁有過；就算星星在夜空中殞逝，但光影依然歷歷如繪地立體在我們眼前，久久不滅。

我的詞人夢

人生多暢快，如果有心將愁苦、抑鬱的那一面給抽換掉。

都說人生的苦多於樂，如果不嘗試著將滿口苦澀的曼巴餘韻，轉為喉底甘醇迴繞的感受，那麼，勢必就要苦到極地，誰都幫不了你的忙。

我一向不吝於將機會留給一個沒有經驗的新人。我是過來人，當年遇有許多轉折處，若不是遇見貴人，給了跨出人生第一步的動力，讓我得以發現自己絕非無用的廢人，也能彩繪出原本很可能是寂寥無光的黑白人生。

我從小就跟著愛看電影的母親學唱歌，母親的南京口音，一到唱歌，就全都換作地道的純正國語；許多雋永的老歌，不僅旋律優美動聽，就連歌詞都言之有物，直搗人心。

沒錯！我最是羨慕且崇拜寫詞的詞人，那不是任何人都能上手的絕活，哪怕是一流的作家、散文家，都不見得可以掌握得到撰寫歌詞的門道。

我曾經與已故的詞曲創作者梁弘志走得很近，我欣賞他的才華，也歡喜他敦厚、不與人爭的個性。他出名的創作歌曲非常多，我也是由他的招牌作品〈恰似你的溫柔〉開始認識他。在臺灣聚會時，身邊總有許多朋友，無法將一些話題定位在我有興趣的部分，一直到他代表「派森」唱片前往東京，為歐陽菲菲錄製專輯唱片，我們才有較多的時間在談話中，觸及到他的創作領域。

身為天主教徒的梁弘志非常大器，他不排斥其他的宗教，同樣也尊重其他宗教。提到宗教音樂，他說，他作過許多福音歌曲，若是佛教團體來找他，他也一樣願意寫歌（多年後我找他為法鼓山的開山典禮寫歌，他慨然答應，沒過幾天就寫出了詞曲皆具有現代意味又有禪意的〈我願〉一曲），只是很多歌友沒有聽出來，以為他還是在男女情愛的範疇裡打轉；我請他舉例說明，他說，〈跟我說愛我〉就是。

梁弘志曾為一檔連續劇〈跟我說愛我〉寫了主題曲，主唱者是他的老搭檔蔡琴。他立刻分析起〈跟我說愛我〉的歌詞：「曾在門外徘徊，終究進入門內，這不是一場夢，只求時光你別走；但願它不是，一個結束的開始，緊握住這一刻，譜成了永恆的歌。春風吹啊吹，吹動樹枝頭，抖落一地愁，煩惱不再有，心跳的節奏，是無言的交流，彷彿你已開口跟我說愛我」。梁弘志進一步解釋，許多人在信仰的殿堂門口穿梭路過，縱然偶有好奇或需求，也都因為一念之間的徬徨與彳亍而錯過；等到註定的時日來到，真的與心目中的神祇契合，那就像是譜成了首永恆的歌，煩惱與憂愁都能如釋重負的落在地上，得以快活充實地與神交流。

聽著聽著，我被梁弘志過人的才情完全打動了，我當場跟他說，想拜他為師，他當我是開玩笑，只是低頭喝了口啤酒，然後鼓勵我，有空試著寫寫看，如果不見外，寫好後給他看看，可以提供給我一點意見。我再問他，作詞的最大要領是什麼？他說，只要不被每句歌詞最後一個字的韻腳給絆住，慢慢去寫，去嘗試，等到經驗逐漸累積，就會越寫越順，形成一首首屬於自己風格的歌曲。

聽了梁弘志的分享，我還真是躍躍欲試。適巧當時日本有首演歌〈冰雨〉大行其道，前後由佳山明生、日野美歌兩位男、女歌手演唱，成為每家卡拉OK店的點唱熱門歌曲。有一天，歐陽菲菲跟我說，她在日本的大阪與東京都要開演唱會，她也想在演唱會上演繹這首當紅的歌曲，希望我能幫忙翻成中文歌詞；我跟她說，寫歌詞與新聞稿、專訪完全不同，我從未寫過歌詞，擔心無法勝任；她回我道，沒有人天生下來就十八般武藝，樣樣都會，還鼓勵我試試看，沒什麼好怕的。於是，我硬著頭皮，開始改寫。

我搶在最後一刻交卷了，但其實很清楚，無論詞的意境與滲透力，都無法感動自己，又如何去吸引住聽眾？雖說如此，或許時間實在來不及，菲菲桑並沒有退件。等到東京的演唱會上，菲菲不但現場演唱了〈冰雨〉的中文版，還在臺上感謝我……。老實說，我至今想起，頭皮都會發麻，那真是一次沒有底，也沒有FU的「初試啼聲」啊！

只因第一次的經驗太不稱頭，我悄悄地將寫作歌詞的夢想束諸高閣，不敢再想，也不敢觸碰。

等到自日本回到臺灣，重新安家立命後，只有被潮水似的工作在後簇擁，很少有時間停下腳步，挖出裝有不少記憶的匣子，瞧瞧裡面有多少夢想是胎死腹中的。

我偶爾與梁弘志約了在新店附近的居酒屋飲酒聊天，卻也絕口不提學寫歌詞的事；梁弘志也具有體諒人心的好個性，絕對不會哪壺不開提哪壺，故意去敲擊別人的軟肋。然後，他染病，罹患了凶險的脾臟癌，最終，他的上帝還是輕輕巧巧地將他收回到溫暖無礙的懷抱裡。

時隔多年，梁弘志那首膾炙人口的〈跟我說愛我〉屬於我的版本，乍現眼前——我的恩師聖嚴法師圓寂，為了製作師父的紀念影集《他的身影》，必須有主題曲與片尾曲，既然我心目中的第一人選梁弘志已經不在，就得另覓他人。等到找好作曲人戴維雄老師後，適當的作詞人卻始終沒有現身。直到熬至無法再拖的警戒線了，維雄老師扔給我一句話，他說，能夠近距離地與師父在全球走透透，身受師父身教言教的也只有我一人，如果我不跳下來承擔此一大任，實在無法再找到另一位合適的人選。

也可以說是打著鴨子上架，我只好心甘情願的開始打起草稿，費了多日的洪荒之力，寫就了《他的身影》主題曲的歌詞（後來邀請了歌手堂娜演唱）；接著下來，奇蹟出現，不到兩個小時，竟寫就出片尾曲〈您的遠行〉（由楊培安演唱）。〈您的遠行〉只因因緣未能俱足，時隔十年後，才能在《他的身影 2》正式與大家見面。

我的詞人夢，此刻雖仍擺盪於虛無縹緲間，但起碼托了師父的鴻福，以及梁弘志的影響，有了些微的進展；接著下來，老驥不會伏櫪，還會興起勇氣，繼續耕耘，但願新的一年裡，好歹能再拿出一點成績來。

二百五的告別

許久沒有打電話到紐約；自從習慣使用智慧型手機，簡訊成了最便利的聯絡方式，電話，自然就跟著疏懶了。

撥了熟悉的電話號碼過去，只因乾姐學渝只沾接打電話一味，不來智慧手機那一套。接電話的是學英，乾姐的妹妹；學英沒有遲疑，立刻告訴我，學渝在半年前摔了一跤，造成腦中風，目前除了兒子 Peter 以外，誰都不認得；我傻了，半天說不出話來。我只好奢望，就算她不記得我，最起碼，她要等到我下趟去紐約，就當作是今生的最後一次告別。

日前，在臉書上看到好友阿達寫的貼文，他的老友正在做第二次化療，感受到體力的流失，已經無法阻擋癌細胞的攻掠，造成原本高昂的抗病意志也如土石流般急速下滑，於是開始向諸親好友，包括自己在內，正式告別……。

茫茫生死，虛無難觸，誰能如實笑看，誰就是人生戰場上的不倒勇士。

多年前，我還在職場上賣命拚搏，不信名利的世間遊戲與我無緣。有一天，正在堆積如山的劇本裡找不出頭緒，一位員工敲了我的門，遞進來一封附有卡片的航空信。我有點不耐煩，順手把信塞進爆滿到即將關不上的抽屜裡，但是那信就是百般不願，倏然由抽屜的縫隙中滾落在地。已被劇本的劇情攪得昏頭轉向的我，只能乖乖地彎腰撿起，不帶任何期待的心情，拆開了信。

看了信紙末尾的簽名，知道寄件人是遠在溫哥華的老友王迪德。這女子一向語不驚人誓不休，日常操用語言的口吻，有點像是道上的厲害女魔煞，事實上，卻是個典型的傻大姐，有話直說，從不會在心頭繞上兩圈。等到我仔細看了她龍飛鳳舞的文字後，才知道，她寫的是告別信，說是癌症末期，來日無多，特此來告別的。照理說，我會重讀一遍，確認一下，自她的語氣裡分辨出文字的內容究竟是真？是假？

我習慣稱呼她為「二百五」，她欣然接受之餘，也回稱我是「三百五」；反正大哥笑不了二哥，都是同一檔次的人，也就沒啥好計較的了。收信那一刻的我，全然缺乏任何幽默搞笑的心情，也就將她的信，當作是許久沒有聯絡的某種搞笑把戲，只冒了聲「無聊」，就草草將那信扔進桌上的一堆文稿中，從此心中眼裡，再也沒有這封信的影子。

沒隔幾個月，忽然接到一通陌生電話，對方是個明顯有點膽怯，口氣略帶遲疑的男生。他跟我說，他是王迪德的兒子，我立刻將深埋在椅子裡的腰桿打直，問他是否在臺灣？他說是的；然後他說，他的母親走了，我還傻傻地問他，走到哪裡去了？他又說，死了，死於癌症。我的兩耳忽然灌滿了蜜蜂採蜜的嗡嗡聲，腦子裡浮出來的影像，就是二百五那嚇死人不償命的招牌表情與聲音。

那個年頭，臺灣的媒體只有少數，我在晚報跑新聞，她在一家電視臺的專屬週刊擔任特約記者。一次電視臺的記者會後，她主動找我攀談，說是我的哪一篇文章寫得大快人心，哪一篇的內容倒有點走味……；我冷冷地斜看了她一眼，心想，還真是個二百五，第一次見面，哪有人說話是如此直白的？我與她沒有半分交情，她憑什麼用這種直不嚨咚的口氣跟我說話？

這個人還真是有夠鈍，居然毫不在乎我的白眼，依然興致勃勃地遞給我名片，想約我去她家吃飯，說是她婆婆的江浙菜燒得極好，她先生雖然很死相，但骨子裡是個好人……。我隨手將她的名片塞進隨身包裡，打定主意，懶得理會這樣無厘頭的無聊女子。

沒過幾天，她卻打了電話來報社，說是約了華視的演員陳淑芳喝咖啡，一再強調陳淑芳是個感情路上多麼坎坷、可憐的女人，但是人卻多麼的好，多麼的真，是個可以當作知己的好女人，希望我能一起見一面……。我偷偷查了一下當天的行程，她說的時間，我還真有空檔，也就勉強答應，就算是給她一個面子。

這不去還好，一到咖啡廳，她立刻在陳淑芳面前將我誇到面紅耳赤不說，還差點害我要奪門而出。如是這般，從此以後，她像是甩不掉的一塊麵糰，動不動就約我到她家吃飯，告訴我一些獨家新聞；我這人就是嘴饞，外加工作需要，慢慢的，與她的家人都熟悉起來，包括她的先生、婆婆、公公、兒子在內。她還真是會說、敢說，毫不忌諱，就連某一愛慕的男子如何擾亂她，她都一一說給我聽。我猜，在她眼中，我是她信任的小老弟，我可以包容她所有的秘密。

有一回，她透露了一個獨家消息給我，偏偏其中有一關係人具有黑道背景，新聞見報後，那黑道大哥找上我，硬是追問我新聞來源。隔天，王迪德打電話給我，說是別怕那無聊男子，只不過是個色厲內荏的角色，沒啥了不起，她可以擺得平。

我遠走日本後，偶爾在回臺後見面，二百五依然如舊，逮到我，就將臺北市的名人八卦都說與我聽。後來，我回臺定居，換作她帶了兒子遠走他鄉，她說，實在是千百個不願意啊，臺北多好玩，國外多無聊，但是為了兒子的教育，老公又得留在臺灣賺錢養家，也只有她為了兒子犧牲小我了。

我去過她在溫哥華的家，風景優美，可以直視海灣，她還興致勃勃地問我，要不要也帶著老婆移民到溫哥華？我猛搖頭，那不是我能規劃得了的未來。又過了幾年，我接受邀請，到溫哥華演講，這下子不得了，所有的義工們一見到我，都趕緊通知我，我的乾姐姐王迪德早就進場守候了，還帶來一群朋友。等到演講結束，所有的紀念合照，她都理所當然地站在我身邊，狀極得意，好像將我當成了劉德華。

或許二百五做夢都沒想到，她對我的真誠告別，卻被我粗略地踩在腳底下；不過，就算她知道了，相信她還是會大不咧嗲地袒護我說：「阿斗一定不是故意的」。

不行哥哥？回來哥哥？

近年來，臺東的都蘭，成了城市佬趨之若鶩的度假勝地，許多名人都在都蘭山的腳下，覓得快活的住處，日日與藍天碧海、自動淨化的空氣為伍。據說不少精明的老外早早就視都蘭為地球的一方淨土，在都蘭衝浪、潛水、賣麵包、教英文……，簡直樂不思蜀到無法想像的地步。

兩年前，我首度前往好友呂信雄、吳方芳賢伉儷位居都蘭山坡上的住家，由他家陽臺放眼望去，視野開闊，綠草如茵；白雲懶洋洋地在藍天漂浮，白浪前後戲耍於發亮的海水裡；一陣陣善意的涼風在頸項間穿梭，手中明明沒有酒水，卻彷若已要飄飄的醉去。

沒過多久，聽說友人莊明輝、錦蓮賢伉

儷的兒子博堯，在都蘭經營一所民宿，許多師兄姐都去體驗過，並讚美那是個非常好的環保樂園。我與妻興致勃勃地打算前往一遊，但適巧疫情來勢洶洶，原定在臺東的演講延期，我們也只好打消了順道前往「月昇都蘭」民宿的興頭。好不容易，七月的臺灣島嶼瀰漫著與疫情和解的氣息，期待已久的臺東演講與都蘭之旅，終於如願。

經過善意的試探，我們才自莊師兄賢伉儷的口中得知，長子博堯自小就非常聰明，對小動物尤其友善，只是受到「亞斯柏格症」的影響，個性上比較自我，不是很合群，因此，就學後經常受到同儕的霸凌；等到博堯讀到國中二年級，越來越無法適應國內的制式教育，最後只好選擇移民到美國，去國外接受不同的教育。

原本以為博堯在美國的教育可以少一些險阻，多一點助力，沒想到學校的同學，尤其黑人，特別喜歡找博堯的麻煩，讓他飽受欺凌。好在，博堯還是按部就班地受完教育，沒有為父母製造更多的難題。

偶然間，經由朋友的介紹，錦蓮決定買下都蘭的一處地產，原本想讓家人來此度假，後來有人建議，平日無人居住的房子，雜草很快的就會盤據整個物件，會變得很難處理，於是，錦蓮就商請她退休的哥哥在此經營民宿。有一回，已在父親公司幫忙業務的博堯，一踏上都蘭的土地，忽然就愛戀上了；心細的舅舅觀察出來，立刻建議，民宿就交給博堯來經營，瞬間，博堯的眼中冒出生命的光彩來，有如榮膺重任一般，捲起袖子就要奮力擔綱。沒過多久，博堯在家庭聚會上，發現提拔他的舅舅靠在冰箱旁邊，臉色有異，馬上提醒家人，舅舅是否中風了？因為博堯的及時發現，竟然在黃金時間裡，救回了舅舅一命。

或許是受到在美國讀書時的影響，博堯對環保意識特別強烈，當他接手民宿後，逐漸開始改革民宿的經營路線；八年下來，他不但堅持拒絕任何農藥、除草劑來維護民宿最美麗的一片草原，民宿也不主動提供備品與毛巾，準備的洗浴精是不含化學物質，牙膏亦是沒有泡沫的環保用品。他自己也推己及人，茹素之餘，也排斥任何奶蛋製品，為客人準備的早餐都是當令的無農藥果蔬、自製燕麥餅乾麵包……；原本，父母還擔心客人是否會無法適應，甚或排斥，慢慢地，由來客的資訊發現，將近五成的客人是回頭客，此一數字很能振奮博堯，這證明了有相當多的客人是贊同他的環保理念。

博堯很歡喜小動物，除了鴨子、白兔之外，還養有兩條狗，尤其一隻嗅覺靈敏的米格魯，最是調皮。有時候，狗兒乘隙鑽出來，會找客人玩，甚至跑到外圍去，於是，博堯會對狗兒大叫「不行」，或是「回來」！因此熟識的客人就為博堯取了「不行哥哥」的外號；後來，另有客人發現，博堯狂叫「回來」的聲音也非常有趣，另外封給他「回來哥哥」頭銜，不也同時像是他歡迎回頭的客人一般？

我們停留的兩天中，莊氏夫婦好心地領著我們去爬山，並且品嚐都蘭鄰近處的幾家美食餐廳，與博堯互動的機會並不多；第二天的上午，莊師兄特別跟博堯再次介紹我們夫妻，博堯禮貌地喊我「阿斗叔叔」，那一聲招呼還真是禮貌十足。有趣的是，一旦我們外出用餐，博堯一定會有電話給母親錦蓮，詢問我們在吃哪一家的食物？只不過，我們的餐食，永遠不符合他的要求，沒有一次，博堯的母親可以順利地幫他帶回外賣。

八年過去，身為母親的錦蓮說，都已經四十六歲的博堯，還是孤家寡人一個，很是掛心。知子莫若母的錦蓮早已看出，兒子其實很想談戀愛，也希望能夠找到一個伴，但是歲月蹉跎後，博堯越來越害羞，如今身在都蘭，要想覓得一個適合的伴侶，似乎更是困難；她還偷偷指著博堯說，你們看，八年來，他像是換了一個人，變得又黑又壯。

我與妻倒是勸慰莊師兄夫婦，眼下的博堯，雖然只是一個人在此打拚，但他是喜悅而滿足的，幸福感也許難以言喻，但是能夠自在無憂地在都蘭生活，說不定才是博堯真正希求且珍惜的。

離別的當天，博堯先是抱著兩隻狗，鑽進車子的後座；等到車子抵達臺東火車站，我們魚貫下車，並快速關上車門，博堯才放開兩隻狗，攀上駕駛座，帶著狗兒回家去。錦蓮師姐看著遠去的車子，搖搖頭，嘆口氣道，那兩隻狗像是博堯的孩子，去到哪，就帶到哪；我卻是替博堯開心，人在都蘭的他，有了日月星辰、晴空大海陪伴不說，還有兩隻狗兒繞在膝前；無論他是叫「不行哥哥」，或是「回來哥哥」，那一份歸屬感，或許才是博堯最為幸福的山海歲月，任憑任何人都無法替代。

陳天亮的故事

認識陳天亮是我二十二歲的事。今年，我七十歲。

陳天亮是他的外號，他廣為業界所知的名姓是陳君天。陳君天是老三臺時代的臺視製作人。他只要一進棚錄影，絕對六親不認，由腳本開始，到美術、導演，不放過任何細節；是故，換做別人，可能八小時可以錄完的節目，他要花上一倍以上的時間與精力；如果天亮前能夠結束錄影，那就絕對不是陳君天的節目。

那年，我初到臺視實習，排演間在地下一樓，時任臺視美工組組長的陳君天，因為辦公室也在地下一樓，經常可以看見他板著張臉，火速穿走過走廊，衝進節目部企劃組辦公室。如果輪到他要錄製節目了，那就更像是轉動齒輪的機器人，活力四射，速度驚人。我每每看到他由辦公室衝出走廊，手中拿著布景圖，就趕緊讓到一邊去，只能感受到他所颳過的一陣風，那是屬於信心爆表，才氣喧天的超現實能量。

當年，陳君天才不過十一歲，就在福州碼頭，跟著國軍的隊伍上了駛往臺灣的輪船。或許是他的父兄都是軍人吧，既然父兄都不在家，年幼的他，居然就有膽量，辭別母親，航向未知且詭譎難料的新世界。這一別，不但留在大陸的父兄前後因運動等關係而自殺；等到兩岸關係解凍，他在香港迎到七十九歲的老母親時，才恍然感嘆，沒有實踐當年對著母親拍過胸部，要變得「偉大」的承諾；但是，他卻變成一個憑著本事，在業界闖出一片浩瀚天地的十足漢子。

活在那個混亂不定的時代，一個十一歲的男孩，能夠生存下來，談何容易？相對的，那也是個適合冒險犯難的亂世，只要勇氣不枯竭，任何障礙說不定都能成為跨越上另一個高峰的契機。陳君天謊報年齡，考上當時的「政工幹校」；畢業後要服兵役，他居然膽敢拒不報到，硬是除役。然後憑著他的才華，考進當時已然巍然高立的臺視；再由美術的專業平臺，躍為統領創作團隊的製作人。事實上，他當時已經是第一個在教科書上掛名的插畫家了。

陳君天製作過大型綜藝節目《銀河璇宮》，把主持人白嘉莉推上了事業的高峰；同一節目中，他請了張小燕、孫越演出短劇，也帶動了短劇在綜藝節目中卓然領軍的風潮。他與張艾嘉共同製作的《十一個女人》戲劇節目，大量培養出楊德昌等新銳導演，也為張艾嘉打造了《幕前幕後》節目，讓觀眾對張艾嘉的才情有了更深的認識。他不因此而驕傲停足，開始將媒體具有社會教育的信念灌注在《三百六十行》、《論語》、《人之初》等節目裡，等於是臺灣電視史上「社教節目」的創始鼻祖。他前後拿過十七座電視「金鐘獎」，此一能耐，當然也就不需要任何言語去補述。

我後來轉業，做起記者，才開始飽足起勇氣，試著去接近陳君天。經過更近距離的觀察，我發現他的骨子裡，與其他業界人士追求名利的因子不盡相同。他有見識，敢於劃清所謂流行、媚俗的節目界線；我甚至覺得他是個踽踽獨行的行腳僧，千山萬水我斷行，哪怕是身陷污濁的洪流裡，他還是他，那個倨傲不倒地盤據於激流中的巨大岩石。

真正讓陳君天的人生有了大翻轉，就是離開臺視後，於一九九五年，製作《一寸山河一寸血》紀錄片開始。

抗日勝利五十週年，包括蔣緯國將軍與臺視元老劉侃如等人，都來說服陳君天，希望他能跳出來，製作具有真實性的抗日紀錄片，才得以有別於大陸的烏賊戰術與日本的逃避作風。陳君天提出的唯一條件就是不說假話，讓「哪堪真相蒙塵，豈容青史成灰」、「把歷史還給歷史，讓真相回歸真相」作為這套紀錄片的不破原則；陳君天的堅持獲得了諸多大佬的支持，包括蔣緯國將軍都慨然承諾，只要是真實的歷史，哪怕是批判到「老頭子」（蔣中正）都在所不惜。

《一寸山河一寸血》紀錄片，真的推使陳君天在還原歷史的浪濤中，再也無法回頭。為了珍貴的歷史影片，他前往許多國家，蒐羅各國的軍事檔案，甚至飛去俄羅斯，咬著牙，付出巨款，買回一寸寸珍貴的底片。他說，全世界十多億的華人，只有百分之五左右知道真實史實的人，是留在臺灣的。只不過，走過那段妻離子散、國破家亡、悲慘人生的老兵們，都已面臨風燭殘年的關口；陳君天必須與時間賽跑，才能搶在老人推進加護病房前，揭開他們胸口上那層薄膜翳翳的瘡疤。他採訪了參戰的老將士兵八百人以上，還有日籍士兵。他也目睹過，國父紀念館在展出抗日史的展覽會場裡，一個個老兵哭倒在為國捐軀的老長官巨幅照片下，根本無法攙扶起來。

先後製作過五個版本的《一寸山河一寸血》版本，陳君天還是陸續找到更多更詳盡的資料，打算進一步齊備於影片中。只不過，熬過了這跌宕起伏，渾沌不開的十年，已然八十二歲的陳君天，先是動過心臟的大手術，也戒掉了昔日一天四包的菸癮，但是，他還是沒有等到東風的來到，讓「陳天亮」在暮年時刻，完成第六版的《一寸山河一寸血》。

那天，進入八德路他的工作室，一層層密不通風的片架上，全是他近二十多年來辛苦耕耘攢積出來的點點血淚。數位化之後，那些心血也總是要燒掉埋除。他的腰疾又犯，昔日英姿煥發的帥小伙，佝僂彎腰之餘，笑容雖然依舊可掬，卻難掩某種不知名的焦慮。不過，一旦提到，他將八百萬人民幣推出家門，還是難掩那聰慧頑皮的少年神氣；他說，大陸有人要買《一寸山河一寸血》的版權，但是言明，日後如何刪動調整，他無權過問。陳君天費力地挺直了腰桿，揚起下巴，以那仍帶有福州腔的國語跟我說：「阿斗！你說，就算我等錢等到心焦意亂，這錢怎麼能收。」

陳君天的老母親，被他接回臺灣奉養後，直到一百一十歲，才無疾而終。我與他一批難兄難弟一樣，只有衷心祝福他不要辜負了老母親給的長壽基因，只要繼續耐著、磨著，第六版的《一寸山河一寸血》，終能遇見有緣人，讓這段浩劫苦難的斑斑血淚，照樣見得著天亮。

第三篇

轉念心更寬

你是從垃圾堆撿到的嗎？

我一度深信，我是從垃圾堆裡撿回家的。與我有相同經驗的人，肯定也有不少。

我的確是禍頭子，一個不當心就惹禍；人說喝涼水還會塞牙縫，沒錯！我就是，就連拉一個村裡的小鬼頭由地上站起，都會害他的胳臂脫臼。結果？母親賠人醫藥費後，免不掉又是侍候我一頓棍子大餐。

母親只要是頭頂生煙，我就遭殃；我沒有姊姊的機靈，一發現局勢不佳，就會腳底抹油，溜之大吉；我屬於那種「認命型」，帶有幾許悲愴，慨然面對凌空劈下的閃電；既然大禍臨頭，跑有何用？難不成永遠離家不回？若被逮到，下場會更是淒慘。

小學的同學，大都是農家子弟，被老師處罰挨板子，都嚇得哇啦哇啦的，有如鵝叫，顯然平日過得太平，沒有受過啥震撼教育；哪像我，老師打就打啊，再打也比不上母親的手勁狠。

母親是那種不計後果的衝動派，一旦需要大刑伺候，見到身邊有何種武器，抓起來就往我的全身下單，就算是腦袋也照樣夯下去。有一回，母親的好姐妹，住在臺中的魏媽媽來家玩，適巧目睹了母親行刑的現場實況，不但拚死搶下母親手中的棍子，還厲聲責罵母親道，一個不小心，真會把我打死。自此以後，我特別感激魏媽媽；在我心中，魏媽媽的排名高居第二位，只略遜於疼我的姨媽。

小學的同學都是幸災樂禍的壞蛋，每當我負著重傷去上學，他們居然聚攏在我身邊，一條一條的計算，穿著短褲的我，由大腿至小腿，總共有幾條血痕；橫豎我是丟臉丟大了，全村子的老小都知道，我是母親棒子下的頑劣分子；如今加上同學們的促狹反應，隨便啦！反正債多不愁，沒差啦！

等到我意識到，我可能真是父母由垃圾堆撿來的，是在臺中的森玉戲院，觀賞蕭芳芳、王引主演的電影《苦兒流浪記》。看著孤兒蕭芳芳無語問蒼天的悲苦，我在戲院裡放聲大哭，害得母親臉上無光，要二姐拉著我去太平門（出口）哭去。那個當下，我突然憬悟，很可能我就是被扔到垃圾堆的孤兒；母親每次如此說我，臉上的表情都有點複雜，有點不忍，也有點惋惜；很可能，發現我的地方，不是垃圾堆，搞不好還是公共廁所。

揭開我生世的關鍵時刻，逐一現前。

某日，隔著竹籬笆的隔壁袁媽媽，以刻意壓抑的聲音，呼叫母親；當時，母親正在跟我算總帳，要將零存整付的處罰，一次還給我。袁媽媽說，想問母親一件事，但是不可以生氣；母親回說，她沒事幹嘛要生氣？袁媽媽就直白的問道，張光斗到底是不是她生的？母親沒好氣的（已在生氣邊緣）回答道，笑死人！當然是她生的！袁媽媽繼續說，如果是她親生的，為何可以如此的打？親生的不可能這麼狠⋯⋯。

一向好強爭勝的母親，那個當下，忽然像是熄了火的交通車，啞了；她想發火，可是一時不知該以何種語言、何種姿態來重新發動引擎；一對鳳眼，睜得特大。沒過多久，我與村子裡的玩伴，騎著自行車去新田山上玩。下山的土路沒有柏油，當然是石子路；我們幾輛自行車，前後銜接，速度極快，有如齊天大聖騰雲駕霧般，簡直過癮到極致。我們樂得大叫大笑，沈醉在孫悟空超音速的世界裡！樂極生悲的瞬間，就在此刻發生——我的前輪被石頭顛了一下，碰到前輛車的後輪，車子的龍頭一拐，往右翻覆；我橫空出世般，被甩至道路旁，好幾公尺深，剛收割完的稻田裡。

我整個人被摔暈，久久躺在扎人的稻梗頭上，坐不起來；等到發現小夥伴們都圍在我身邊了，才聽到有人尖叫，我右小腿的內側，或許被車子的哪個零件刺到，出現了一個大窟窿。

那天也活該有事。我們出發時，是倒過來走，先經過潭子的商店街，再彎至山路；當我的車子穿過買菜的人群後，一個不注意，輕輕撞到了一位前行老阿嬤的後腳跟；幸好老阿嬤沒有摔倒，可是也回過身來痛罵我，說是哪來的猴囝仔，竟然敢撞到她？她已經八十幾歲，撞壞了怎麼辦？

夥伴們陪著我，一拐一拐地走回家去。我還拜託他們，千萬不可跟我媽媽說，否則我肯定又少不掉一頓毒打。

我一聲不吭地躲進房間裡，幫自己上藥；母親上班不在家，我深自慶幸著。那晚，吃完晚飯，洗完澡，我早早就上床睡覺；或許，驚嚇來得太突然，我需要去廟裡收驚才對。

不知道睡了多久，我忽然感覺，受傷的右腳有點異狀；迷糊中勉強睜開眼，發現母親在幫我的傷處上藥；邊擦藥邊吹著氣，希望我不會痛的母親，居然在默默地抽泣，還心疼地說，怎麼會傷得這麼重？只因睡意太濃，我又沉沉地睡去：朦朧中，我的心結首度解開，我頭次體會到，母親是愛著我的，我一定是母親親生的⋯⋯。

就讀初三的那一年，我因盲腸炎轉成腹膜炎，在省立臺中醫院住了一個月的醫院，動了兩次大手術。父親每天打地鋪，守在我身邊，還輸血給我；母親每天下班都要趕過來，生怕這個兒子一個不當心就會不見。第二次手術之前，她跪在巡房的主治醫生面前，哀求醫生一定要救她的兒子；我沒有聽到醫生是怎麼回答的，只見母親忽然竄起，有如發怒的母獅子，大聲到整棟病房都聽到了；她狂吼狂叫，如果她的兒子有個三長兩短，她也不要活了，她做鬼都要纏著醫生；許多人都趕過去拉勸母親，母親隨即放聲大哭。我躺在病床上，把被子矇住頭，覺得太丟臉，實在無顏面對醫生以及整個病房大通艙裡，無數的病人與家屬們。

這下好了，屬於我生世的懸疑劇——我是從垃圾堆裡撿來的嗎？終於平和落幕。

只不過，有時候我還是會有點想笑，大人們的想像空間還真是狹窄，為什麼不能更有創意一點？比方說，是在兒童樂園的門口？遠東百貨的玩具部？就算是臺中第一市場蜜豆冰的角落都好。在那裡，發現了一個睡得很安寧的棄嬰⋯⋯。

她就是我姨媽

八月上旬，日頭極辣，就算站在樹蔭下，都要流淌出一身的汗水。

在這無處可逃的盛暑中，我隨著老貓的團隊，一路南下，為《臺灣你好》的網路節目做網路直播。對我來說，也算是趟學習之旅，感謝老貓，讓我廁身其間，親眼目睹無遠弗屆的網路世界，所豢養出的各地群迷，是如何掏出熾熱的心腸，感動著老貓團隊的每一位成員。

經過苗栗、豐原、臺中幾站，就在彰化八卦山上，數十位忠心耿耿的《臺灣你好》粉絲們，於熱浪夾雜著蟬鳴聲中，歡喜相聚；一個回頭，我看見一個指標，標明了八卦山著名的大佛去路。沒有多想，那是種近乎迷魂的呼喚，我頭也不回地踏上了山棧的小道。

我聽到急切的喘息聲，由心臟的跳動，隨著血液的奔流，直上腦門。沿途的景象，與那個十歲左右小男孩眼裡的世界，已是迴然不同。

還記得那年，母親帶著我，第一次踩著攀山的臺階，目標非常明確，大佛就在眼前；沿途的相思樹一棵棵地相對站立，沒有任何勢頭，可以遮得住大佛慈祥溫煦的面容。我們沒有在大佛前佇立，母親喘著氣說，太熱了，我們得趕緊往後山去；然後，每遇到一位擦肩而過的路人，母親總要重新問一遍：民族新村在前面嗎？

步下了一個在草叢中開出路的斜坡，看來是人走出來的，按部就班的梯階顯然還來不及打造。果不其然，民族新村一號，就在整排眷第一間的後院裡，一位大媽蹲在地上，舉著斧頭，正使勁地劈著柴火，我大聲喊起：「姨媽！」她抬起頭，臉上漾開來的笑容，如粼粼發光的漣漪，浮蕩在汗珠累積出的湖面上。

姨媽與母親一樣，都姓吳；母親稱她姊姊，姨媽直呼母親的名字，她倆是在眷屬跟隨部隊撤退來臺的路上相遇，就這樣，結為姊妹。在那流離奔竄，惶惑驚恐的大時代洪流中，不幸的浪淘，總會將一些宿世有緣的人，推擠在一起，母親與姨媽就是活生生的例子。

我出生在彰化縣的北斗鎮（舊制）。姨媽一家由基隆遷至北斗，聽說我父親當年租的日式房子很大，就商議決定，兩家共宿一個屋簷下，只隔著一道紙拉門。據說，自母親肚子陣痛開始，姨媽就守在母親身邊，看著助產士將我接生出來。由我出生到爬行、站立、學走路，姨媽就一直沒有缺席。直到有一天，我大到找出大人說話的破綻，才知道我心目中至為看重的姨媽，居然不是親生的。不過，失落感很快就被抖落，我跟自己說，姨媽就是姨媽，我家在臺灣，除了姨媽，再也沒有第二個親戚。

懵懂期，家又搬到了臺中大雅路，而後，我有了記事的能力；記憶裡，我曾自臺中回到北斗去找姨媽，就那一次，當時我還沒有唸小學。姨媽家的院子裡有棵桂圓樹，像是無限供應的水果店，另外還有枇杷，得以隨時塞滿小嘴；唯獨又黑又大、全身布滿刺的毛毛蟲最為駭人。我一人去蹲廁所，或許是糞坑的存貨來不及挑走，我的排泄物激起了反彈，濺了一身，母親又氣又急，抓著我沖著自來水，還不忘打我幾巴掌，我難堪至極，哇哇大哭；姨媽衝了過來，將我自母親手中扯開，並大聲責怪母親道，這又不是孩子的錯，為何要打孩子？淚眼朦朧中，我像是尋到了一株得以倚靠的大樹，將嚎啕轉為抽泣，我心想，姨媽真是我的救命恩人。

沒過幾年，姨媽一家也分到了眷舍，由北斗搬到八卦山後麓的民族新村。

姨媽育有五個孩子，尤其是前面四個，與我家前四個都各大一歲。憑良心說，姨爹對我也不錯，但我總覺得他太嚴肅，陰晴不定，只是遠遠躲著他；或許，我看過他打過大表姐吧？倒過來，姨媽對五個孩子都極其呵護，絕對捨不得出手打一下。每每做了一整桌的菜，挑食的大表弟扭頭就下桌，姨媽嘴上叨念著，卻立刻又回到廚房，替他煎荷包蛋。

我總是羨慕著五個表兄弟姐妹；心中也總是幻想，有個如此溫和慈祥，不須擔心隨時被揍的媽媽。

每年寒暑假，我都膩在姨媽家不說，只要我家有任何風吹草動，父母又開戰大吵，我就連夜逃去姨媽家，不曾有過任何遲疑。無論任何時刻，姨媽也都呵護關懷著我。直到日後，長大了，我才憬悟，幾個表兄弟姐妹從未給我任何臉色看過，他們一如姨媽，對我包容友愛。

有一回暑假，不知為何，沒有人願意在大熱天陪同姨媽下山買菜，我高高舉起了手。我跟著姨媽，先是陪她到禮拜堂做禮拜（姨媽是虔誠的天主教徒）。一到信徒魚貫前往神父面前領聖體時，我急著想去，以為神父遞進信眾嘴裡白白的物體，肯定比棉花糖還好吃；姨媽輕輕按住我躁動的腿，輕聲交代，我要乖。等到繁複漫長，忽跪忽坐的禮拜終於做完了，姨媽先到冰店幫我買了根好吃的冰棒，又買了條我最愛吃的虱目魚，大的比我的手臂都長。回程中，我一手牽著姨媽的手，一手拎著虱目魚，雖然爬山回家的臺階好像無止無盡，我還是開心唱著學自電影裡的插曲，就是要跟蟬比大聲；姨媽不時回頭笑著看我一眼，還表揚我唱得好聽。

直到我第二次考大學的那年寒假，搭上火車，由潭子到彰化，穿過彰化女中大門，慢慢登上前往民族新村的山路時，都不曾預想過，這是我最後一次的八卦山之行。如今，民族新村早已拆除，除了記憶中的圍牆院落偶一在夢中出現，其他的，已整個消失於這個地球。

考上世新，到了臺北，人生有了巨大的翻轉，心比天還高的我，沒有將家人置於心頭，姨媽當然也是。直到某天，接到通知，母親要到臺北來，去二表姐在安東街租的公寓，探望一身是病的姨媽；我也才知道，姨媽已將民族新村轉讓給別人了。當時，我已在臺視打工，身上有點存款，我就私下與母親商量，想包一個紅包給姨媽，一表孝心；我原本擔心母親心眼小，會吃醋，沒想到母親非常開心，反倒叮嚀我，既要出手，就不可以小氣，於是，我去郵局提出了一萬元。

姨媽看到紅包，堅持不肯要，替我找了各種理由不說，還反過來責怪她自己，說是沒有能力幫我一把。母親於此時展開了過人的說服功力，她說了一長串之後，又重重的撂下一句：「姐姐，妳捨得拒絕妳外甥的一片孝心嗎？他可是妳從小拉拔著長大的呀！」姨媽眼眶紅了，她不再抗拒，伸出手來接過去：「孩子啊！謝謝你啊！謝謝你還沒有畢業就孝敬姨媽。」那個剎那，我真是打心底歡喜，我知道，日後要更為努力，要更為孝順姨媽才是。

姨媽的晚年並不太平，對她最孝順、最有出息的二女兒，在以色列發生車禍而殞命；小女兒遠在美國，難得見次面。六十九歲那年，一個週日中午，剛做完禮拜，因腦中風，倒在回家的路上，沒有再起來過。

大陸開放後，我陪著父母回過南京，見過母親的親妹妹，也歡喜地又有了個姨媽：只不過，就見了一、兩次，還來不及培養感情，南京的姨媽就過世了。

在我心目中，姓名叫作吳英霞的姨媽，才是比有血緣關係的還要親上數十倍，數百倍的好姨媽。

那天，暌違近五十年，首次在八卦山盤桓；就在離開那尊較記憶中縮小很多的大佛後，感覺每一個轉彎處，姨媽好像都帶著微笑在等候我；我再三回頭，那個活蹦亂跳的小男生，彷彿也坐在步道的欄杆上，皮著對我扮鬼臉。當我接完一通催我歸隊的電話後，大佛已經隱沒在身後的樹林裡；加快腳步的同時，我還是忍不住的跟佛說，佛啊佛，下輩子，保佑我還會與姨媽再次相遇喔，拜託拜託。

老爸來點菜

天地間，許多無法解釋的神鬼現象，有些人不信，因為眼見才為憑。我一向不是鐵齒之徒，縱算不具任何敏感體質去感應另一時空的邂逅，卻也本著尊重的原則，不鑽迷，不否定。

雖說日常生活，難免會與友朋言談中，觸及神秘經驗，但怎麼都沒有想到，此事會臨到我頭上。

疫情興起的那年，我一人在台北留守，老婆因有要事，飛去日本兩週；時間一到，老婆回臺隔離，再續兩週假期。某日，身在職場的我，與一具有特殊能力的友人聊天，她忽然問我，老婆何時出關？我答，就是隔天；她隨即關照，隔天就請老婆現身眼前，我也沒有多問，只當友人想念我那傻老婆了。

隔日，老婆氣色紅潤的出現，友人沒有浪費時間，立刻與老婆耳語起來；等到老婆拿出紙筆開始註記，友人才回頭跟我說了一句：「張伯伯說了，一定要交待給媳婦。」我一下子沒聽懂，眼前冒出無數個問號，友人又補上一句：「張伯伯是老派的人，覺得這事叮囑媳婦比較靠得住。」我沒有惱羞，怪罪老爸不信賴我，只是好奇，我那生前少話沈默的老爸，究竟為了啥事找了朋友的麻煩？

且聽我從頭說起。

十餘年前，葬在安徽滁州鄉下的祖墳，接到當地書記的通知，需要遷墳。當時大陸是個廣大無邊的大工地，各個地方政府，都在廣覓財源與建商合作，大興土木，蓋房子、建工廠。我家祖墳所在地的滁州鄉下，隔了個長江大橋就是南京，自然就被視為肥肉一塊，既然祖墳被點名了，也只有認命一途。

我接獲姑姑的通知，火速地趕回安徽處理，官小火氣大的書記兩個鼻孔噴出兩道濃煙，不帶一點感情（他與我家還是遠房親戚咧！）地說：「看在我住在境外的份上，算是網開一面，否則半年前就叫了推土機，將我爺爺奶奶的墳給推平了。」

我點頭如搗蒜地趕去「政府」指定的新墳場查看地形——「政府」補貼三千人民幣遷葬費，我卻要繳交五千人民幣的墳地錢。其實，錢還是小事，重點是墳地緊貼著軌道邊，火車沒日沒夜地路過，擺明了是個人不安、鬼不寧的畸零地。我當場決定，替爺爺奶奶另找墳地。

長話短說，幾經折騰，還跨了個年，總算拜朋友所賜，尋到了個好所在，順利遷葬了爺爺奶奶。老爸當時已屆風燭殘年，無法再回大陸，爺爺奶奶的新墳，自是不曾去過。而後沒多久，老爸大去，到天上與爺爺奶奶團聚了。

基本上，我每年清明前，都會趕去安徽祭拜爺爺奶奶。那是田間的一處集中的墳塚區，前後左右都有當地百姓高高堆起的墳頭。當年將爺爺奶奶的墳才砌好，就有一家農戶趕來鬧事，說是我家的墳頭擋住他家的了。幸好，有位當地的老漢做為我們的後盾，他不甘示弱地發出狠話，如果哪個人敢動我爺爺奶奶墳地一撮土，他立馬就抓起鋤頭，把對方的墳全都刨掉。此事畢竟要善了，我隨後塞了錢給幫助我們的老漢，請他私下做些疏通工作，事實上，咱們是外來人，低個頭也是正常的；幸好，一場突如其來的風波，最終還是和平落幕。

這些年因為疫情，無法回安徽上墳，只好拜託南京的姑姑領著表弟、表妹、表妹夫代為掃墓。爺爺奶奶遷墳的事，除了家人之外，我身邊的朋友沒有幾人知道。

時隔多年，我那生平不愛麻煩人的老爸，為何就找上了菩薩心腸的友人呢？原來，老爸跟友人說，爺爺奶奶很在意，搬遷到人生地不熟的地方安葬，給當地人添了麻煩，卻從來沒有謝過；因此，爺爺囑咐老爸，要我在台北家中擺一桌飯菜，招待爺爺奶奶的芳鄰們吃點，喝點，做點敦親睦鄰的友好工作。我事後說給老媽聽，老媽拍了一記大腿，非常明確的跟我說，爺爺生平就愛交朋友、愛請客，我愛朋友的個性就是傳承自爺爺的。

那天，受託的友人與老爸的「溝通」還真費時；友人說，老爸點的菜全是葷食，茹素多年的友人認為不妥，建議吃素，說是吃素好，功德更好；幸虧老爸沒有堅持，從善如流地改葷為素，開出一長串的菜單：菠菜炒蛋、雪裡紅炒腐皮、芹菜辣椒炒干絲、竹筍紅燒香菇、蔥油餅、蘿蔔絲餅、乾拌麵……，由炒菜到主食，不下十幾道。

到了宴客的當天一早，我與老婆兵分兩路，她買材料，我買熟食；然後洗菜、切菜、翻炒、煮燉，忙得不亦樂乎；等到十一點一到，家裡的圓桌全都布滿了飯菜，外加一壺老爸特愛的濃茶，還有一物不可少——當然是名聲遠播的金門高粱。我與老婆各舉起一炷香，邀請老爸、爺爺奶奶，以及遠自安徽趕來的賓客們入席，先致上多年來失禮的歉意，並感謝各位老鄉多年來關照爺爺奶奶；然後不時的加酒、倒茶、添飯，片刻不敢怠慢。

半個小時過去，友人的電話來了，說是好一個賓主盡歡，所有的賓客與爺爺奶奶、老爸都開開心心地吃飽喝足，狀甚幸福的先後離去了。我與老婆相視一笑，開始整理滿桌的菜肴。最後，我獨將老爸生前最愛的那碗乾拌麵留下來；或許麵條與空氣接觸太久，麵條還真是硬邦邦地結成硬塊，原有的蔥油香味不見不說，吃到嘴裡也真是沒啥滋味；我抬頭對著窗外跟老爸說，下一回肯定會準備一些他與爺爺奶奶、賓客們喜愛的美饌，並保證葷素俱全。

既然說到，當然就要做到不是？等到下一年的清明，反正我回不了安徽，就重新擬了菜單，全都是老爸生前所愛的菜餚：蛋餃燒大白菜、紅燒肉、紅椒豬肉絲（老爸不吃牛肉）、茭白筍炒肉絲、紅燒魚、韭菜花炒墨魚、白花菜燴番茄……，當然，還有一大鍋排骨蘿蔔海帶湯。

到目前為止，老爸不曾再找過友人的麻煩了。

偏心偏到太平洋

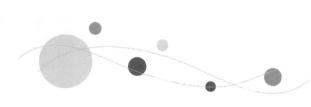

伸出五根手指頭，長短原本就不一。就算是相同的父母，生出五個子女，父母對五個子女的愛心就真能做到一視同仁嗎？那倒未必。或許，累劫累世結下的因緣原本就迴然不同，五個子女誰來報恩？誰來討債？終究說不準不是嗎？

在我家，「偏心」就是個永遠有賣點的話題。

那晚，我剛自外地回家，老母與移工阿蒂有了如下對話：

「奶奶看到先生就高興，跟他說『我愛你』！」

「有嗎？有嗎？」

「有啊！有啊！奶奶都沒有跟大姐、二姐、三姐說我愛妳！」

（老母轉而向我妻告狀）「這個阿蒂，還真會抓我毛病！我會這樣嗎？」

（偏偏老婆是個公道婆）「有啊！媽媽！以前學渝姐不是有教過妳，要學會跟兒女說我愛你？」

（終於有點理虧）「喔！好像是喔，那麼，我下次也要跟其他幾個孩子說我愛你。」

好啦！一場家庭倫理短劇，終於散場。

在我家，類似的場景經常會上演，發動總攻擊的當然都是大姐。為了激活老母的腦細胞，大姐採取的是「攻心為上」的戰略，一句直指母親「偏心偏到太平洋」，當然就是一場舌戰最為嘹亮的號角聲。

母親年輕時脾氣暴躁，我往往就是讓她解氣的那頭無辜的羔羊，只要手中抓到任何武器（衣架、掃把、雞毛撢子、桿麵棍……），就會往我的身上劈。那時，其他幾個娘子軍，大概不會認為母親偏心，反倒為我叫屈吧？一直到我十五歲那年，因為盲腸炎引發腹膜炎，一連開了兩個大刀，幸運地沒被閻王爺接走，母親大概覺悟到再也生不出第二個兒子了，才開始政策大轉彎，正視起我的存在。

其實，母親對我的「偏心」，也是到了那個節骨眼，才讓我有了實質上的感受。

例如，每天便當菜中，我的絕對有一隻滷雞腿（母親當時的藉口是我大病初癒，需要好好補一補）。兩個姊姊想要參加畢業旅行，根本就是免談，我曾親眼目視大姐淚眼模糊的劈開她的存錢筒；但是輪到我時，我卻可以很快的得到母親的首肯，立即掏錢給我，讓我去學校繳費。我只要晚上十點沒有回家，母親就放心地鎖上大門，知道我一定是住在好朋友的家裡；但是大姐騎自行車去豐原看電影，只要超過十點進門，母親上前就是兩個耳光，大姐哭了一夜也哭腫了雙眼，隔天根本無法去上學。

在此之前，我曾經不經意的發現父親的偏心。有天清晨，父親照例將便當盒放進兩個姊姊的書包裡，但是行動有點詭異，好像刻意在迴避我的注意，我不信邪，趁著父親轉身離開的空擋，立刻去翻查書包，居然發現父親偷偷地將零用錢塞進兩個姊姊的書包裡；當場，我來了個爆哭，跑去跟母親告狀，記憶中，母親火速的息事寧人，立刻塞給我一張紅票子，我見好就收，背起自己的書包，出門上學。只不過，對我來說，那是個掃不掉的心頭陰影，我自此知道，原來老爸的心裡，女兒要比兒子吃香。

直到父親的晚年，有一回，我出國公幹大概近一個月沒有回臺中探視兩位老人家；當我打開臺中住家的大門，坐在面對大門沙發上的老父一見到我，竟然脫口而出的的說了聲「啊呀！真是望穿秋水啊！」一旁的二姐故作驚訝地大聲回道，「原來兒子在老爸的心目中還是很重要啊！」也就在那一刻，記憶中，父親偏心的那道鑿痕，才算是正式自我的腦海中抹消掉。

有一回，與已故的中央研究院院士王正中先生，以及他的胞弟王正方導演聊天，聽到了一則有趣的故事。正中院士從小就是學霸，建中畢業就直升臺大。有一回，還在讀中學的正中，捧著第一名的成績單回家獻寶，王爸爸只是冷冷地說道：「有什麼好神氣的？充其量只是個考試機器！」此話對正中造成很大的傷害，因為，偏心的父親怎麼看弟弟正方，就怎麼的歡喜，就算考了班上末段的分數，父親也都慈眉善目地摸摸弟弟的頭，鼓勵他再加油。

父親對弟弟正方的過於偏心，成為哥哥正中心頭非常大的創傷。數十年過後，老父過世，老母親搬去美國與正中同住，某天晚飯中，不知為何，話題又轉到父親對弟弟的偏心這件事；母親數十年來，慣常以一句「你們都是爸爸親生的，爸爸怎麼會特別對誰偏心？全都一個樣。」來打發正中，可是那晚的劇本忽然改寫了，老母親居然改口道：「是啊！我私下跟你爸爸說了多少次，要他不要偏心偏得太過火，可是他總是不聽……。」沒想到，母親首次的如實告白，居然讓正中先生當場嚎啕大哭，將他累積了數十年的委屈，翻江倒海地藉由眼淚全都傾倒出來，把老母親嚇得當場傻住了。不過，也因為母親承認父親的偏心，成了療傷止痛的特效藥，這一哭，將正中心中的塊壘全都清洗了個乾乾淨淨，讓正中的心裡再也沒有任何疙瘩了。

如今，家父早已大去十年，母親九十，還能與我住在一起，朋友們都說我到了這歲數，還有媽媽好叫，真有福氣。去年，老母差點出了大事，幸好救了回來，逐漸康復的母親，叫了大姐幾次來家裡共商大計，大姐心中有數，硬是不應，母親只好單獨找我，談論她的後事。如今，臺中的透天厝，是父母留下的唯一資產，一直是大妹妹陪同兩位老人家住著。母親說，父親在世時，曾經一度考慮要將房子過戶到我的名下，等到代書要來了，父親又遲疑了，推說過一陣再說，母親言下有責怪父親之意。我卻是立刻讀懂了父親當時的心境，他畢竟會擔心，如果是我名下，哪天我若是賣了，他的三女兒到何處去住？

偏心，就算是偏到太平洋，又能如何？貫穿美國，越過大西洋，一圈過後，還是會回到原點不是？家家都有本難念的經，無論父母偏心的是自己，或是其他兄弟姐妹，還是做好為人子女的本分，珍惜這一世的親子之緣，好好感恩雙親的生養之恩，應該才是正途吧？

帶她回家

一旦雙手握著熱騰騰的咖啡杯，讓那縷悠悠上升的黃金曼特寧香味，充斥在鼻尖與所有感官之際，你會感嘆，感嘆那一刻的美好，也感嘆於友人分享的生命隕滅的故事後，來上這麼一句：「不知是明天先來，還是無常先到？」只不過，你鮮少想過，一旦明天還沒探頭，無常卻來了個正著，真的能做到從容應對、不驚不惑嗎？

我那將近九十歲的老母，十月一日，興沖沖地由臺中趕到臺北，準備隔個週末要幫大姐夫過八十歲生日。進入家門後，她嘆了口氣道：「以前由臺中到臺北，從來沒有覺得累過，怎麼今天有點累？」老婆回她：「媽媽，別忘了，妳快要九十了，體力會降低是正常的。」在臺北住了兩天後，她又抱怨，為何有點心慌，覺得不舒服？其實在此之前，臺中的大妹已帶她去醫院回診過，醫生認為她的心臟有心房顫動的跡象，已另開抗凝血劑，以防腦中風。

老婆因此臨時又幫老母在臺北的醫院掛號，及時去看了她熟悉的心臟科醫生。醫生照完片子後，將老母支了出去，遞給老婆一個小本子，叮嚀道，要注意老母的心臟——心房顫動，很容易出狀況，只要發現不對，就要立即送往醫院。

接著下來，就是連續兩天開心熱鬧的生日趴，老母甚是投入，跟著兒孫吃喝，絲毫不見一點倦意。看到她如此歡悅，原本建構好的危機意識，自是鬆懈了下來。

十一月十三日的夜晚，老母照例早早就回房上床，我與老婆分別忙著。快到十二點，我還在誦念手中的《法華經》，上完廁所的老母忽然走出來，跟我說，非常不舒服，果然，她的呼吸已帶有明顯的、沈重的、相續不斷的嘶嘶齁聲；為了安住她驚恐的心，老婆趕緊換掉睡衣，又要阿蒂幫母親量血壓，好轉移她的注意力，但接連量了三次，都量不來；我與老婆再次商議，擔心呼叫救護車恐怕要多耗時間，還是趕緊下樓，搭上老婆剛叫到的計程車，前往內湖的三總醫院急診。出門要換鞋時，老母已有點神識不清，腿已經有些抬不起來，但還是被我與阿蒂勉強架上電梯，並蹣跚的跨上計程車。

時過午夜，由我家到三總，乘車頂多十到十五分鐘，我不斷誦持著《大悲咒》、《藥師咒》與《藥師如來解冤咒》，但每當車子在一個紅燈前停下，我都忍不住地想要暴聲大叫；後座的老母，嘶嘶作響的呼吸聲愈來愈急促，我連回頭張望的勇氣都沒有，只聽到老婆不斷地給老母打氣加油。等到車子終於停在急診處門口，我一個箭步下去推了輪椅，老母已然休克在原座，根本無力下車。老婆也急了，要我背起老母，我蹲在地上，與阿蒂合力將老母駝上我的背，卻發現，沒有意識的老母太沉，我完全無力站起；幸好急診室前的值班義工都是老經驗，回頭高喊裡面的義工推出病床來，一陣騷亂後，護士與義工們聯手將老母拖上了病床，火速送進急診室，沒有一秒鐘的耽擱。

急診室的醫生與護士們全員出動，立即急救；一位醫生要我簽署同意書，說是老母休克，血氧已低到二十，要插管，如果再晚上兩分鐘，說不定就沒救了。老婆苦著臉說，老母叮囑過，如果發生任何事，她絕對不要插管，醫生有點氣急敗壞，不敢相信我們在此一關鍵時刻，還要遲疑；我一咬牙，簽了，我跟老婆說，這是急救，不插管就無解。

經過搶救後，母親恢復了意識；不但照了心肺的片子，還掃描了斷層，醫生說，肺部兩端有浸潤現象，但排除腦中風的可能。我走近母親身邊，兩手被綁住的母親一直費力地擺動兩手，狀甚痛苦，我只能請她安下心來，一心念佛，求請佛菩薩保佑。直到隔天，仍在急診室等候加護病床的她，還在掙扎著擺動雙手，我才終於明白，她的意思不是不願被綁住雙手，而是要我們回家休息。

終於等到加護病房有了空床，老母在下午六點過後，被送進加護病房，距離送進急診室，已過了十八個小時。

因為疫情，進入加護病房探病的設限更是多，還需要先在網上預約，這是為了保護病人與醫護人員，當然可以充分理解。隔日上午，一到了探病時間，我與妻找到了老母的病床。或許是老母清醒著，護士已將她的雙手解綁，只戴著手套；老母一直以手勢表示，插管的喉嚨非常不舒服，我們只能鼓勵她道，多虧了佛菩薩的保佑，老命是搶回來了，一時的不舒適一定要忍住，只要情況許可，醫生當然會把管子拔掉。還不錯，老母接受了我們的安撫不說，還做了手勢，向一旁的護理人員致謝。

醫生說，老母很可能是突然的心臟衰竭，造成肺部浸潤，導致呼吸困難；並重複道，幸虧即時送到醫院急救，不但留下老命，也沒有影響到腦部的供氧。只不過，看著老母難受的模樣，作為子女的，除了求請佛菩薩加被保佑，卻是什麼都不能做。

依照原訂的計畫，我們幾個兒女與女婿媳婦，要陪同老母去日月潭遊覽三天，旅館也早就央請當地的好友訂妥；老母非常興奮，四處向鄰居獻寶，說是要好好度上一個假期；卻沒料到，距離出發的四天前，竟然就蹦出了這樣難以招架的無常。我在加護病房附在老母的耳邊跟她說，日月潭的旅館沒有退掉，只是延期而已，等到她康復，一定會依照預定計畫，遊湖一趟。

某天晚上，心神不寧的我，在家裡低頭滑手機，剛好看到朋友傳來的一則視頻，是百老匯歌舞劇《悲慘世界》的主題曲〈bring him home（帶他回家）〉。多年以前，與一群好友先在香港看過該劇的亞洲巡演，後來在紐約又看過一次。卻沒料到，打開視頻，只聽到歌者發出了第一個高音，我就完全地崩潰棄守；跟隨著起伏擺盪、低徊昂揚的曲式，我心疼著老母在生死線上的掙扎與輾轉，心中也泛起了聲聲呼喚：帶她回家。

「帶她回家、帶她回家……」我也只能重複著，喃喃地求請佛菩薩，給我一次機會，帶她回家。

感恩佛菩薩的慈悲，滿了我們的願——終於等到有一天，得以帶著在醫院洗好澡，依然插著鼻胃管的老母，回到家中了。

幸福淚，相留墜

我常在想，應該央求我的佛菩薩，帶個話給阿拉，感謝有個好阿蒂，出現在我家。

自十數年前，小妹罹癌的晚期開始，我們就開始聘請印尼的好人家女兒，飄洋過海來臺，協助照顧家人。小妹往生後，老爸開始有狀況，也跟著註冊了一位印尼好幫手馬提尼；老爸走的那晚，馬提尼的大眼睛，哭得紅腫不堪，仲介公司沒等兩天，就把她帶走了，我根本來不及跟她正式說聲謝謝。

年紀比小父親十一歲的老媽，在過八十二歲生日之前，摔了小妹遺留下來的摩托車，手臂撞斷了，我們沒收了她「追風老少女」的資格（她從未擁有過駕照）。與她一同住在臺中的大妹，每天要上班，根本無力照管她，只好緊急向仲介求援，尋求一位陪伴她、照顧她、乃至於監管她的移工，省得超齡的過動兒，動不動又衍生出嚇死人不償命的禍事。

仲介不久後傳來了張照片，老媽說長得太黑了，半夜起床上廁所，一旦看到那黑嘛嘛的移工，一個不當心就會嚇得心肌梗塞，屆時如何是好？我們責怪她不可有種族歧視，說也奇怪，或許我家全員學佛敬僧，修得了好因緣，就在移工抵達臺灣後，仲介臨時換了一位給我們，說是憑了目測的經驗，覺得這一位絕對比原先的那位更好。來者做了自我介紹，老媽覺得名字太難記了，當場把人家的名姓改了，就叫「阿蒂」。於是，阿蒂很委屈，自進入我家大門開始，就易名為阿蒂了。

阿蒂與老媽的互動，一開始也絕非順風順水，老媽懷疑外人的習性難改，動不動就要找人麻煩；我們以善意的勸導（如果是自己的兒女在別人的國家打拚呢？）與一樣是善意的恐嚇（如果換來一個更差的怎麼辦？），總算將難搞的老媽馴服；就算偶爾釀起茶杯裡的風暴，也都能很快的雨過天青，沒有留下滿目瘡痍的災後疫情。

二〇二一年的十月中旬，老媽突然因心臟衰竭造成肺積水，緊急送院插管急救，算是由鬼門關給搶救回來。一個多星期後，出了加護病房，阿蒂一見到老媽，這一老一少（阿蒂三十一歲，老媽九十歲）兩手緊握，像是恍若重生的再會親人，讓我在邊上看了都要鼻酸。自轉到普通病房到出院回家，阿蒂二十四小時睡在母親床邊的地上，無論是拍背催痰、沖泡牛奶、洗頭洗澡、按摩推拿，到煮粥熬湯、推動輪椅、攙扶散步，甚至上網做晚課，搜尋老歌等，都在母親一聲聲「阿蒂」的呼喚聲中，被阿蒂全數包攬。

最讓我們動容的是，由急診的那晚開始，阿蒂每天都在祈禱求請阿拉庇佑老媽恢復建康；然後，問清楚老媽姓名的讀法後，阿蒂遠在印尼的家人，也每天都替老媽祈福求福。尤其阿蒂的母親，居然以老媽的名義，烹煮了粥食，要阿蒂的丈夫騎著摩托車，四處布施給貧困的孩子與老人。因此，我跟逐漸復原的老媽說，阿蒂的家人如此替她積攢功德，豈可不圖回報？老媽立刻拿出錢包，交待阿蒂，務必再請她母親持續布施；另外，也捐錢給緬甸因戰火而告急的孤兒院，救助可憐的孩子們。

就在阿蒂無微不至的照顧下，就連醫生都非常驚奇，老媽會復原得如此快速，簡直就是奇蹟。

狀似恢復健康的老媽，當然還是會有急性子的冒進。某晚，睡不著的她，硬說藍色的鎮定劑沒有吃；老婆說，每天的藥劑是她與阿蒂親手分裝在藥錠盒裡，不會有錯。她很惱火，撂下一句「大不了一夜不睡」，就氣沖沖地回房了。後來才知道，阿蒂進去安撫她，跟她說：「奶奶，快五年來，我一直陪在妳身邊，是我在照顧妳，妳也該相信，我不會弄錯的……。」據說，息怒後的老媽，不久後果真睡著了。

阿蒂多年來，對我家有相對的穩定力量，她自己的情緒管理也非常好，從不曾鬧過意氣，不過最近突然發生一插曲。某夜，窗外下著雨，老媽在房間安眠，阿蒂忙著廚房的清理，老婆在做晚課，另一頭，我也專心地為了專欄打著電腦。忽然，背後傳來阿蒂頗為大聲的驚嘆聲，我心想，或許她臨時有什麼事，要與老婆溝通，所以也就沒有太在意。但是，阿蒂忽然轉成哭泣的嗓音，邊哭邊說著什麼；老婆隨後也拍著她的背，勸慰的同時，老婆居然也跟著哽咽起來……，這一下，我完全停下手中的工作，開始猜測，難道是老媽又因什麼瑣碎的小事，惹了阿蒂難過？

持續了十分鐘左右，阿蒂的情緒穩定了下來，又繼續整理家務，老婆也回到佛龕前，繼續她的晚課。直到阿蒂端著臉盆，進入洗澡間沐浴，我才找到機會，迫不及待地輕聲問起老婆，剛才到底發生了什麼事？老婆才說，阿蒂的護照快到期，央求老婆陪她去辦手續，因為仲介要加收很多錢。說著說著，阿蒂忽然感嘆，明年就要到期回返印尼，她已經有點捨不得我們家人，但是又非常思念她在印尼的年幼兒子，這前後包抄的矛盾，竟讓她早早流下不捨離別的淚水。

還沒說完，老婆狀似又要流淚，我趕緊轉過身，重新去面對自己的電腦。窗外，雨卻淅瀝淅瀝的，加強了力度，下得更大了。

我家的印尼親人叫阿蒂

我家與「阿蒂」結緣超過十年了。喔！請莫誤會，我們家的成員一向奉公守法，不敢鑽法律的漏洞；我家的「阿蒂」都是合法的！

印尼來的姐妹們，有的高瘦，有的矮胖；有的皮膚較黑，有的偏於白細；但無論外觀如何，她們的名字真的是「落落長」，要想記住，恐怕耗上一年十個月都要枉然。我家的老媽忍不住求饒，她說，老人家記不住，能否都叫作「阿蒂」？

自小妹病重，父親往生前兩年開始氣盡力弱，我家的阿蒂就進進出出，前後沒有十位，起碼也有個七、八位。一開始，因緣不是甚好，不是愛哭（老公在印尼用她賺的錢，又另娶老婆）、就是愛發牢騷（一樣是老公花心）。等到輪上老媽了，手氣居然極順，她原本對仲介傳來的照片不滿意，認為阿蒂太黑，她半夜起床看到會嚇到；沒想到仲介臨時抽換，居然將一位秀氣白皙的阿蒂，送進了我家大門。

這位新報到的阿蒂，一進門就接受了老媽的震撼教育（其實人家已經在新加坡做過三年）。雖然阿蒂略懂國語，但就是與老媽的南京話犯沖。有時早起，老媽說要吃饅頭（被郝杯杯影響的；郝杯杯在電視上說，他數十年來早餐都是吃饅頭，所以能活到一百歲），但是阿蒂端出來的是饅頭薑湯，與老媽想吃的饅頭夾蛋，完全不是一回事。

老人家的腦血管，多少會有信號亂跳，不守規矩的時候。明明阿蒂為老媽準備好蛋炒飯，老媽卻是臉色一沉，說是弄錯了，她要吃麵條。這下阿蒂矇了，不知如何是好。我與妻一聽說家中不太平，趕緊飛奔回臺中；老婆拚命向阿蒂解釋，我也偷偷背著老媽，對著阿蒂，指指我的腦袋道：「阿嬤年紀大，這裡不好，生病了，妳不要在意。」阿蒂立刻點了三次頭，理解地跟我說，她知道了。

慢慢的，阿蒂以劍及履及的認真態度，降服了我家的老太太。每天天剛亮就起床（以前的阿蒂經常要老媽當鬧鐘，去喊早），從拖地板、洗廁所、擦拭桌椅、洗衣、晾衣、做早餐，陪老媽外出散步，幾乎掌握有類似部隊值星官的執行手冊，一樣不落。下午也不得閒，燙衣服，燉湯、買菜、買水果，勤勤懇懇，絕不囉嗦；晚上一定要做完家事，檢查過水電門戶，才最後一個睡覺。不過，偶爾，老媽還是會給她出難題，抱怨她這樣沒做好，那樣的指令又弄錯。好在，阿蒂與老婆已連有熱線電話，只要一有狀況，她一個電話就打給老婆，老婆再伺機胡亂尋個理由給老媽電話，順便解說誤會阿蒂的事由本末。

老媽不是真迷糊，她基本上是在偷學禪學大師的「絕步」，故意找些話頭去考阿蒂，看看阿蒂悟不悟；只可惜阿蒂是回教徒，老媽的招數沒有學到位，以致經常要出點小亂子，活絡一下家中經常不流動的氣氛。好在老媽是聽勸的人，我們經常跟老媽說，阿蒂太不容易，離鄉背井的到異國來打拚，不但看不到稚齡的兒子，就連老公、父母、兄弟姊妹都幾年不能見；如果阿蒂換成她的女兒或兒子，她會不會心疼？老媽回說，她這把年紀沒有白活，她自己一人跟著父親到臺灣這幾十年，不也是吃過千難萬苦？她當然知道要疼惜別人家的女兒，只是不願年輕人對她大聲說話，因為她是長輩（人在發急時候，難免會提高音量哇）。

這兩年，老媽喜歡到臺北來跟我住，說是臺北好玩，不像臺中太無聊。我們沒想到，這個阿蒂真是多才，才來了三年，不但將老媽的廚藝都學會了，例如紅燒魚、炒牛筋、芹菜炒牛肉、排骨蓮藕湯等，還會針對老婆吃素的習慣，變化出印尼的「天貝」（以發酵的黃豆炸出好味道；據說是印尼人代替肉類，給孩子增添蛋白質的珍饈）。緊接著，她也分辨出哪裡的菜市場較便宜、較新鮮；她可以一人一早奔往大直、松江路、濱江街各個傳統市場，放山雞與肉類、水果，各有所取。每回我宴請好友到家中小聚，偶爾想露一手，炒個菜，她都在旁叮嚀一聲：「先生，讓我來。」我總覺得紅燒肉不經過她的手會妥當些，起碼要尊重她的宗教；老媽在旁，噗哧一聲地笑出來，說是人家燒的紅燒豬腳已經好到可以擺到路邊去賣了。

原本，她可以在六月份回家省親，卻因疫情，害她有家歸不得；但是阿蒂的情緒管理得非常好，沒有一點怨言不說，每天照表操課，頂多在獨自吃飯時，低聲地以智慧手機，與老家的親人各自說話。依照她原先的計畫，做完這三年，她就打算回家陪小孩，順便再為兒子生個弟弟或妹妹。當她一把念頭說出來，老媽就連著幾天無法入睡，惶惶惑惑地擔心再也沒有第二個阿蒂，可以替代眼前這一位好阿蒂了。老婆不斷對阿蒂做功課，她也終於鬆了口，說是雖然在老家買了地，但是蓋房子的錢還不夠，所以願意再順延三年；我們全家聽到這個好消息，差點高興到去買鞭炮來放一放。

阿蒂非常善良又體貼。有一回，當著她的面，我故意跟老婆說，有一天阿蒂回老家，不出來打拚了，我們可以飛去印尼拜訪阿蒂與她的家人；阿蒂立刻回答道：「先生小姐來，一定要買冷氣，現在沒有，對不起。」老婆說，我們如果去，要送她新家一臺冷氣；阿蒂急著舞動雙手，但是笑臉卻像是可以擠出蜜來。

有回，我回臺中，把住在隔壁，已故小妹的兩個女兒與二姐一家都找來吃飯。阿蒂展示了管家的手腕與心意，又是雞湯，又是炒菜，一道一道的端上來；她還偷偷跟小妹的小女兒說，對不起，不知道她要來，所以沒有做她最愛吃的番茄炒蛋。原來，將兒子留在印尼，孤身來臺打拚的阿蒂，也在心疼沒有媽媽照顧的女孩兒啊！

那天，老媽拿著我出版的新書《在轉角遇見你》給阿蒂獻寶；這一點她倆是共通的，因為老媽不識字，阿蒂也不通漢字；然後她倆如心連心的家人一般，反應一致——對我豎起了大拇指。

我還欠他一個道歉

還很小吧，我已深深感受到生命的輕薄、渺小與無奈。

眷村裡，大多數的家庭都生了一串孩子。玩伴多是好事之徒，碰到比我大的，跟在後面，偶有不講理的，總會鬧意氣，大不了走人，扭頭就回家。與那些比我小的孩子戲耍，往往他們玩樂了，不肯罷休，就黏著我，不讓我回家吃飯、洗澡；或是耍賴、不服氣，哭了一鼻子……；碰到此一情景，我就會立刻升起落跑之心，總覺著負擔有點大，不太好玩。

或許家貧，父母時起爭吵：家裡沒米要吵、沒錢買菜要吵、父親打麻將要吵、喝酒要吵、交學費時要吵……，然後還有一大堆理不清的事要吵。我老覺得家裡的氣壓低得讓人喘不過氣來，不時會有離家出走的衝動；但或許秉性所持的冒險因子還不夠強，膽子不夠大，一直忍到去臺北讀書了，才發現我已掙出牢籠，終於自由了。

另外，看到村子裡有玩伴的媽媽因為想家而瘋了、鄰居染癌的母親半夜爬到河邊跳水自盡、某家會讀書的漂亮女兒居然自殺了、班上身心障礙的女同學因大便在褲子裡而大哭、班上同學的父親淹死了、班導師肝病住院感慨生世飄零而當眾掉淚……；眼見周遭環境不停爆衝的悲歡起落，造成我經常閃出遁逃的念頭，久了，自然造就出了個不耐操煩的性格。

沒錯！我早在鼻涕還沒斷流的年紀，就興起了「生即是苦」的感慨；也在偶爾會尿床的歲月，就覺得扶養孩子需要極大的勇氣去承擔。我小學還沒畢業，就非常確定一件事——如果我是我那父母，才不會笨到生那麼多孩子。

可是，我喜歡與孩子玩耍，我也知道如何逗引，就能討得孩子們的歡心。

當年，我已當完兵，在報社工作了，還能與外甥玩到在地上打滾；我會逗朋友的孩子玩笑，可是不能越界，不能黏著我，否則我就要逃。所以，要我陪孩子們玩耍可以，但有耐心的上限，只要一遇到心生疲累的負擔，我就要腳底抹油。

等到年紀增大，耐性如荷爾蒙的分泌，更是大幅度的降低。大姐的兩個兒子先後結婚生育兒女，我這現成的舅老爺，多了活生生、軟綿綿的新玩具，自是高興異常；只不過，不能玩太久，只要娃娃一哭，我就要落跑。

那兩個小孫，大的是女生，小的是男生，小男生比他姊姊小了八個月；或許有了姊姊的帶領，小男生還不到一歲，就已經牙牙學語。一回，我與妻才進大姐的家門，小姊姊開心地大叫舅爺、舅奶，那個小男生也興奮得大叫阿爺、阿奶，因為「舅」的音，還不會發，倒把我們夫妻樂得哈哈大笑。

每回去，我就跟著他倆玩遊戲，除了躲貓貓、頭頂頭的「碰碰頭」，就是緊緊摟著他們直到喘不過氣喊出求饒的「救命」（聲音不夠大還不放手）。他倆真好玩，兩人愛的食物完全相反，一個喜歡，另一個一定一口都不沾，這樣也好，除了偶爾因為搶玩具要打架，吃飯吃點心倒是一片和氣，絕不相擾。

大姐與姐夫全天候親手帶著兩個孫，直到兩歲大時，才有所改變。姐夫負責去大賣場購買牛奶、尿布、米油鹽、水果、麵包等等，經常每天要上下五樓的樓梯好幾趟；大姐除了要照顧二小、餵食、換尿布，還要準備晚餐，讓兒子媳婦下班回家有熱飯熱菜可吃。偶爾外出回家，姐夫去停車，大姐還要左抱一個，右肩一個，氣喘吁吁地蹬上五樓的樓梯回家。我與妻親眼看著兩個小的由無脊椎的爬蟲，逐漸會翻身、爬行、走路、蹦跳；他倆的爺爺奶奶卻累得彎腰駝背起來，甚至體力透支到要住院。

經過協調與溝通，小孫的兩對父母也覺得茲事體大，決定白天將兩個小傢伙送到幼兒園，下午下課後，再交還給爺爺奶奶照管。

我與妻，只要沒事，就早早吃完晚餐，直奔大姐家；經常是兩個小的剛坐了下來，準備開飯的時刻。

有一晚，大姐還在廚房忙，姐夫在客廳坐鎮，兩個小的分別落座，面前已布好飯與菜。小姊姊畢竟是女生，比較乖巧，拿著小筷子，準確地舀飯放進小嘴；小男生還有點貪玩，左手把著玩具，捨不得放下，右手拿起湯匙；我跟他說，要好好吃飯，玩具先放到一邊去，他在猶豫之間，玩具忽然脫手而出，應聲蹦進了菜盤子裡；當場，我的耐性全然失控，便大聲吼他：「為什麼講話不聽？」說完我才察覺到自己的聲音似乎太大，小男生被嚇到，一癟嘴，立刻大哭起來；他或許怎麼都沒有想到，一向與他玩得歡快的舅老爺，翻起臉來會如此可怕？

包括小男生的爺爺與爹地，雖然都在現場，卻都沒有吭聲；於是，他忽然如歌劇中的男高音，哀痛女主角移情別戀，陡然昇了一個key，哭得更是呼天喚地、直搗雲霄；善感的小姐姐，一向疼愛這個小弟，既然見到弟弟傷心難抑，也就跟著開啟嗓子，與弟弟隔空對泣起來；瞬間，客廳像是中了美軍的無人機砲彈，整個掀了開來，不但造成了地板與牆壁晃動的錯覺，耳朵也有了山谷裡的回音效果，轟轟炸裂、嗡嗡乍響。

眼看局面無法收拾，小男生的爹地緊急出面，牽起小男生的手，調停解圍。臥房中，小男生的哭聲緩緩有了調節，不再無限制地持續擴大；或許感受到弟弟的委屈獲得安撫，小姊姊奧援式的哭聲也跟著漸次降了下來。終於，臥房的門開了，小男生的爹地牽著滿臉還掛著淚水的他，重新登場。走到我面前，依然忍不住抽泣的小男生，開口說話了：「舅……舅爺，對……對不起。」我頓時愣了一下，這該道歉的應該是我才對呀？我一把將小男生緊緊摟進懷裡，輕輕拍拍他的小屁股，嘴裡想說點什麼，但卡住了；當然，我為的也是想趕緊掩藏住自己就要扭曲的老臉。

還好，這小子不記仇，日後再見，還是跟我摟摟抱抱，心頭不存任何芥蒂；我倒是自慚形穢，老覺得這舅爺做得有點窩囊，真是極不稱頭；畢竟，這舅老爺還欠他一個道歉啊！

最為糾葛是親情

前不久，一位結交數十年的老友病故，他的女兒告訴我，父親生前曾經數次告訴她，希望殘破的病體快快讓老天收拾了，他要趕緊再投胎，再作為他父母的孩兒；他發願，要彌補這一世的遺憾與歉疚，來世裡，一定不離家，要好好地承歡在父母膝下，盡心盡力地一竭孝道。

沒錯，我們上一代因戰亂所歷經的骨肉離散，天倫夢殘的悲劇，豈止是一干短視無腦的政客以及無血無淚的網路酸民所能想像？

我家就有。

那是牽扯了我的母親與兩位舅舅的難解宿業。

民國三十八年，國共內戰進入最後攤牌

的階段，身為軍人的父親與懷抱著出生不久大姐的母親，倉皇逃至臺灣；鐵幕一落，海峽兩岸劍拔弩張的緊張態勢絲毫未減；遭到臺灣海峽阻隔，天各一方的斷腸人，自此各自書寫斑斑血淚，卻是無法寄出的家書；故鄉與親人，望斷迢遙，夢迴憶萬里。

從小，看多聽多了父母與左鄰右舍叔叔伯伯們，思親念鄉的呢喃與夢囈，對於大陸的親戚們，只有好奇，外加各式疑雲——他們說的話，我聽得懂嗎？他們跟我們一樣窮嗎？真的在啃樹皮嗎？

一九八二年，拿著好不容易申請到的護照，還有滾燙的出境證，在桃園機場排隊蓋章，準備上機時，我的腦子忽然跳出了一個念頭——我要想方盡法，偷偷由東京，帶領著父母前往大陸尋親。

時隔兩年，等到我將自己安頓好，也側面打聽過各種訊息後，經由朋友子傑的介紹，找到日本的熱心人士作保，居然辦通了繁複困難的手續，可以邀請南京的兩位舅舅到東京來，與父母團聚。

雖然腦子裡演練過各種父母與舅舅時隔三十數年，再次重逢的各種激動畫面，事實上，卻差點被我搞砸。因為當時我剛搬家，不知道信箱被大樓歸類在另一個角落，所以就無法收到舅舅明確出發日期的信件；等到某一天，我帶著父母遊玩關西，返回東京的家，才一走出電梯，居然發現，小舅舅一人坐在我家門口，像是無家可歸的流浪漢。

可以想像，剎那間，電梯口狹小的空間裡，哭、喊、叫、笑的各種噪音，是如何引起同樓層鄰居們的驚嚇與混亂了。

又隔了一年，雖然兩岸尚未和解，臺灣不曾解嚴，但是人在東京的我，已嗅到某種不尋常的氣味，膽子也跟著坐大，就帶著來訪的父母，偷偷進入大陸駐東京的大使館，替二老辦妥回鄉證，隨即買了機票，讓二老由東京直飛上海，再轉火車去南京。

等到兩岸正式開放，我由東京飛臺北桃園機場，與父親會合；轉香港，再直飛南京；親眼目睹了南京軍用機場的破落，就連托運行李都是由軍用大卡車轉到入境處的破屋前。

就在大舅家的歡迎晚餐餐桌上，大舅與他的兒女們同時向小舅發難，一連的咒罵與指責，鋪天蓋地而來，小舅鐵青著臉，只顧著埋首喝酒抽菸；因為母親這趟沒有隨行，我與父親完全傻到如定格畫面，呆在那裡。與父親一樣沈默少話的姑姑在此時跳了出來，一把鼻涕一把眼淚地勸阻大舅一家，說是外甥與哥哥難得回來，求求他們就不要再吵了！

我於事後約莫了解，大舅認為小舅撂下他，一人飛去東京，與父母團聚，令他無法接受。作為晚輩，我卻是什麼都插不上嘴。

自此以後，父母只要一找到藉口，就飛回南京；很遺憾，因為接觸的機會多了，摩擦自然也逐一浮現在數十年疏於溝通與理解的洪流上。

母親在一九四九年逃難的路上，遇見了同樣姓吳的本家大姐，受到她非常多的照顧，因而結為姐妹。我幼小時，一直以為稱為姨媽的她，就是母親在臺灣唯一的親人。姨媽原籍安徽，口音與南京話有些接近，她家就是我家，只要一碰到寒暑假，我都要奔往姨媽家玩耍。

姨媽的親戚也在南京，所以，她與母親結伴回鄉，是再自然不過的事。姨媽的二女兒蘭員侍母至孝，事業也做得好，她給了姨媽一筆美金，姨媽就跟母親說，乾脆在南京買個房，以後姐妹回鄉，也好有個住處棲身。

只不過，九〇年代初，在大陸買房必須由大陸人出面才行，因此，姨媽就拜託小舅找地方，並由小舅掛名。很快地，房子買好了，姨媽與母親開心的去看了，姨媽還在口頭上說，以後她走了，這房子就是小舅的；母親連忙搖頭，說是一碼歸一碼，等到那一天，這房終究要歸給姨媽的兒女們。

誰知道，這麼好的一個姨媽，居然在六十九歲那年，去天主堂做完禮拜，就因腦溢血倒了下去，並且再也沒有醒過來。

母親大慟，非常捨不得姨媽的故去；很自然地，母親下令，要小舅將姨媽不曾住過的南京房子，還給姨媽的孩子們；此時，小舅開始顧左右而言他，母親不高興了，責難小舅太貪，小舅說，是姨媽答應要給他的；母親更加暴跳如雷，說那絕對是姨媽的客氣話，姨媽的人太好了，所以一路下來才吃了那麼多苦。

自此，母親與小舅的心裡都種下了芥蒂。後來，大陸又開放了外籍人士買房的規定，母親歡天喜地地在南京找房子，在南湖訂下了一間三十坪左右的公寓。此時，大舅非常熱心的介紹朋友，要幫母親付頭期款，並要母親多打一把鑰匙給他，母親這才明白，大舅似乎也在打母親新房的主意。

母親痛哭幾次，抱怨自己的親兄弟，為何都如此貪婪，沒有一點進退的自知之明；於是乎，她與兩位舅舅愈走愈遠不說，更是禁止我日後前往南京時，包上任何紅包給兩個舅舅。

二〇一九年的六月，換好膝關節的母親，難得又興起了回南京一趟的念頭，她自己也在嘀咕，這或許是最後一次返鄉，她自知已快沒有體力如此折騰了。陪她到了南京，表弟妹們都偷偷地跟我咬耳朵，要我與小舅聯絡，並說小舅小中風後，身體也亮起了紅燈。我私下與母親溝通，她嘴上不置可否，我卻明白，她心裡還是偏愛著這個小弟弟的。

小舅由表弟陪伴，出現了；小舅叫了聲「姐」，母親哼了一聲，隨後起身去洗澡；等到要吃飯了，母親換好衣服一進客廳，就被小舅在陽臺抽的菸味給嗆得咳嗽不止，幾乎呼吸停止；我心想，哎！怎麼會有如此的業障，橫在這對姐弟之間，卻沒有一個人得以搬動去除？

身為晚輩，我一方面知道母親火爆又愛面子的個性（她居然勸不動親弟弟放棄貪念），另一方面，我也無法改變小舅對那房子的「三不政策」：不賣、不租、不處理（他自己與舅媽與兒子、孫女一直都擠在一狹隘的舊公寓裡）。

近三十年來，同樣的境遇，類似的故事，似乎也不斷在我身邊朋友的父母，以及他們大陸親戚之間，勃發、激蕩、咆哮、低徊……。然後，隨著老人的逐一故去，混在沙裡土裡，漸次沈沒在歷史的大江大河中，再緩慢澱積成一層層有機的污泥；直到某代某世，再被淘挖出來，再重新養化澆薄貧瘠的土壤，撫育下、下、再下一代。

歷史的荒謬劇，用不著修改劇本，隔個時空，總會再次登場。至於眼前發生的這些故事與事件，誰能記得？誰又在乎呢？

第四篇

轉身路更長

隔得了人，離不了心

自仗著曾有禪修的經驗，我一直覺得，在防疫旅館的隔離生活，頂多是兩個禪七的累積，小事一樁；卻沒料到，其實不然。

禪七期間，縱然不言不語，就連眼神都要收斂，不可外放，但是有法師統理以及開示，來代為管理這顆心；也有禪眾相伴，還能一同進食、運動，並共眠於一個大艙房裡，這與單獨一人隔離於眾人之外，還真是完全不同。

八月上旬，雖然早已歸心似箭，但還是在耐心面對的情況下，辦妥了一切事，結束了所有行程，終能束裝返國。上機後，因為乘客人數不多，前後左右都處於淨空狀態，當然也就放鬆下來，該吃該喝，一樣都沒少掉；只不過，下機之後，就又是另一番完全不同的景遇。

一走出機艙大門，眼前全副武裝（防疫裝束）的地勤人員，一見到我們，人就陡然警醒，自動切入「戰備狀態」，只為了整體氛圍都將我們當作五毒教主的「大毒草」，全神防備著，深怕一個不小心，就要害人家集體「中標」，那將會是個舉國譁然的大悲劇，嗯，或許是大鬧劇。

費了大勁，填了表，過了幾關，出得機場，在工作人員的導引下，坐上計程車。一上車，倒也感受到難得的溫情熨貼，運將與我們的距離如此靠近，言語也非常親切，好歹是生死與共的患難之交，雖然共處的時間非常短暫。

車子滑過防疫旅館的大門，門口醒目的告示提醒著，防疫車要到地下室放下旅客後才能離開。到了地下室，乘坐電梯的入口很小，懸著一盞昏黃的燈影，擺明了就是拒人於千里之外的待客之道。果不其然，寂靜無人的狹小空間裡，只被一方亮眼的螢幕所盤據；透過監測的螢幕，我與妻獲得彼端人員的認證成功，便拿起桌面上的信封，登上電梯，直駛我們要奮戰兩週的樓層。

出了電梯，找到房門，與老婆一個訣別但不悲悽的擁抱，目送老婆走進屬於她的關房；隔了兩個門，是我的，門虛掩著，擺明了就是我接下來兩週的歸宿之處。

我直奔落地窗前，向外張望，這可是我失去自由後，唯一可以找到慰藉的出口，這是何等重要啊。視線的正前方是一幢大樓，起碼有個一百公尺左右吧？很好，是個適當又安全的距離；我還看到三樓的女主人在陽臺出沒，雖然細雨仍在淅瀝地下個不停。左前方是高架道路，車輛絡繹不停的頭尾銜接著，這個景致，也讓我看到生氣盎然的生命流動，沒有歇止。正下方是個新大樓的工地，地下室灌好了漿，已在乾了的水泥地上，綁束起林立的鋼架，我心想，這下熱鬧了，每天動工的噪音，剛好就是陪伴我的叮咚交響樂，還真是考驗耐性的好機制。

回過頭來，發現大門的背後，貼了一張紅豔豔的告示，說是防疫期間，不准外出，如果違反規定，最多可罰新臺幣一百萬元。我心想，當兵的一年十個月，就算思念自由的欲望再強烈，也不曾考慮過「逃跑」二字；如今只區區兩週的「禁閉」，要我花上這麼高昂的代價？簡直門兒都沒有。

LINE 有了動靜，說是晚餐送到了。打開房門，這是獲得允許的開門時間，包括取得三餐，以及將垃圾袋扔進門口大垃圾桶的合法行為。晚餐是冷冰冰的壽司，只因實在太餓，一口氣全都吃進肚子，這才發現，慘了！撐了！

往後兩週的三餐，就是既期待，又怕受到傷害的心理調整時間。每週一到週日，基本上是個循環，菜色不大會有變動，或許廚師也省事。週末大概是廚師的公休日，都是「外食」，早餐是糯米飯糰或是燒餅夾蛋，因為採購會流失時間，飯糰的外圍米粒會變得很硬，冷掉的燒餅更是，費勁啃食的結果，或許才造成後來的牙齦發炎。

沒錯，隔離時間千萬不能生病！

那天，解封的前四天下午，難得被允許，下樓去做最後一次篩檢，與妻來個久別重逢；難道是樂極生悲？回到房間後，右後方，一向喜歡作亂的那顆牙，有點蠢蠢欲動，我沒當一回事，照樣把晚飯吃完了；誰知道，臨睡前，那顆牙果真造反，不但牙齦腫了起來，神經也開始抽動。那一晚，擺明了就是要磨練我的忍功，稍微不痛時，才模糊睡去；但或許一個翻身，壓到右頰，牙就猛然宣示它的存在感，立刻將人痛醒。無奈中，想起行李的醫藥袋裡，備有朋友送的蜂膠，就趕緊起身打開，伺候那牙；慢慢悠悠地，才在酸酸麻麻中，勉強再與周公相會於夢鄉。

兩週內，除了老婆難得撥來電話，做例行問候，我也只打了一通電話出去，只因臨時掛念起，不時要前往紐約公幹的好友，忽然很想關懷一下他。除此之外，就是每天上午十點至十一點期間，區公所的「楊小姐」肯定會有電話進來親耳確認，我的狀況有無問題。其實，值此人人都在提防你的尷尬時期，每天有人來電確認你完好如初，沒病沒掛，還真是要有感恩的心啊！

除了楊小姐與老婆外，最愛操心的八十九歲老母，最不得閒，電話最多，她老是持著不變的理由來問：「你每天吃便當，沒有營養，怎麼辦啊？」我多次解釋，不全是便當，防疫旅館的廚師也會烹煮熱食與好吃的，但是老太太硬是不採信。幸好某次她問我一天多少錢，我回說一千多，只怕她誤會太貴，故意自動降價五折再對折；老太太大概誤會了，以為是餐費，不是我謊稱的住宿費，就回說不便宜啊；但隨即改口道，貴一點就算了，錢只要再賺就有。阿彌陀佛，此一美麗的誤會，終於讓老太太停止了煩惱，煩惱她的老兒子在兩週期間，因為營養不良而瘦成了木乃伊。

兩週隔離的有期徒刑，在每天固定的作息：原地跑步運動、讀經、吃飯、寫稿改稿、晚課、吃飯、看電視新聞、讀經；以及時間飛馳於無聲的節奏裡，竟是倏然便抵達終點。這才深切體會到，將人隔開、離群索居，但那顆忙碌不休的心，依然沾裹著不同的煩惱與罣礙，就如新冠肺炎一般，停不下來，也甩不掉啊！

走路，我最大

日常生活中，就算我執再強，要想完全貫徹自我主張，讓別人都聽從你的意志，跟著你走，似乎不太可能；就連那混世魔王如希特勒、毛澤東在世時，也經常要提防遭到不服膺自己的部屬暗殺。

相對之下，你我這樣平凡的升斗小民，時時處處都要在乎別人的存在，尊重別人的權益，才能處理好人際關係，避免被人孤立。例如，與朋友聚餐，不好意思盡點自己喜愛的食物，當然也要留些餘地，讓朋友有所選擇。哪怕是乘坐高鐵，發現鄰座的旅客，觀賞手機的訊息，沒有消音，甚至不停地說電話，都會特別讓人難受，覺得太自私，太不得體，反倒會提醒自己，切莫重蹈別人覆轍，千萬要自愛自律才好。

只不過，人是獨自來到這個世界，也要獨自離去，就算不得不在家庭、公司、社會盡力迎合群體，融入在團體中，也終是有疑雲升起的時候，覺著老要在乎他人的眼光，失去自我抉擇的能力與餘地，實在令人開心不起來。如果您有這方面的困擾，不妨接受我的建議，只要抽出空檔，就去走路，走自己想走的路線，走自己意圖的方向，不用在乎任何人；不但可以藉此機會運動強身，還得以在難得自處的時間裡，過足當自己主人的癮頭。

我在五十歲後，發現身體機能有退化的跡象，那好像也與心理狀態有所關聯，或許因職場帶來的有形無形壓力，已經有點承受不住，於是開始思索，該要想想辦法，讓身體動一動，如果身心再不協調，這套機器肯定衰弱敗亡得更快。於是，開始起步走。只不過，白天太忙，忙不完的瑣事，經常要等到晚上回到家，吃完晚飯，才套上球鞋，在住家附近繞彎子。後來，朋友笑我，晚上空氣糟，汽機車的廢氣外加種種污染源，都在天黑後加速開啟，我這不是把自己推進毒氣室嗎？加上剛吃過飯，肚子裡都是食物，走起路來，多少有負擔，橫豎不舒服，便也隨之叫停。

後來再想，既然晚上不適走路，那就改回白天吧。

如果上午沒有重要會議，簡單吃過早餐後，我會安步當車的穿過租賃住家的社區，轉進基隆河的河濱步道，行走二十分鐘後，登上大直橋，轉進濱江街，穿梭過人們喜歡看飛機的巷道，切過濱江市場與榮星花園，延著民權東路東行一個路口，就能順利進入公司上班，前後約略八十分鐘。有了這將近八千步奠定基礎，我的日行萬步計畫，便可以輕易達成目標。如果上午忙碌，我就提早在五點下班，趁著下班的車潮尚未乍現，就離開公司，快步回家。

一條路線，滿足不了我的好奇心。星期假日，我可以沿著基隆河道，自大直走到南港，一個來回，起碼超過一萬五千步；然後呢？當然還要另闢蹊徑。慢慢地，我研發出了幾條路線；針對目的地的不同，我會倒算時間，以走路代替捷運或公車，在不遲到的情況下，走到與朋友或客戶約定的地點。其一，由公司出來，無論是順著敦化北路或是復興北路南行，走到忠孝東路，約為四十分鐘，然後再向各方延伸。其二，由公司穿過民生社區，走到松山火車站，大概七十五分鐘。其三，自復興北路、長春路、中山捷運站、地下街、臺北車站，在重慶南路鑽出地面，大約八十分鐘，抵達中山堂，當然就滿了一萬步。

我的腦子裡，有一張臺北市的簡圖，北到天母、北投；北東到內湖；往東到松山；往西到西門町；西南到萬華一帶；往南到臺大；東南到新店……。基本上，腳下就是風火輪，不求人也不用問人；可以旁若無人地隨著自我意識，愛怎麼走，就怎麼走。途中，可以與自己對話：看到一列出殯的禮車，忽然會憶及一位數十年失聯的老同學，只因他在課堂憶及剛逝去的父親，哭得肝腸寸斷，老師暫停授課，滿室數十位同學，鴉雀無聲的陪著他默哀。

有回走到公館，在巷弄裡穿梭了許久，才發現，我在尋覓數十年前的那個唱片行，顧店的少女因為家貧而無法升學，我老去找她聊天，在賽門與葛芬柯好聽的〈沈默之聲〉合聲裡，說些我在世新合唱團練唱的有趣故事與她分享，還讓她去吃飯，幫她臨時顧店；那是一種怎樣的少男情懷？後來呢？是什麼原因，不再去找她……？我在公館的巷弄中墜入數十年前的時光隧道裡，找尋情字那條路，卻是徒勞，但足以驗證，青春並無留白。

走路，可以完全沈浸在屬於自己的小型天地裡，那裡，你就是自己的天與地，是自己的王，不但具有特殊機制，隨時回到從前，還可以直接面對舊傷痕，療傷止痛。

有一回，就在重慶南路與忠孝西路口，我仰頭四望，想像五十年前，那架於車流如鯽車道上方的天橋，依然存在；如果拐著我到附近的派出所，讓殺人不眨眼的偽師傅（剃成狗啃的模樣，居然還敢收錢），胡亂剃掉我僅僅碰觸到肩膀長髮的那一個、那一個猙獰的便衣警察還在，我一定會笑著臉跟他說：「沒關係！不到半年以後，我又可以留長了，怎麼樣？再來抓我啊！」想著想著，我笑開懷了，那天，就算走了兩萬步，雙腳一點都不酸，因為，我嚐到了那好滋味——走路，我最大！

百元去煩惱

三千煩惱絲，由出生開始，就在頭頂盤據，無論男女，都需正眼面對，予以定時修整，否則真成三千尺，反倒疼惜起來，要想剃光？一時還會捨不得吧？

小時候，父母為了餵飽幾個孩子的肚子，無瑕顧及我們的外表變化。偶爾，注意到了，母親會拋出一句：「鬼爪子（指甲）可以剪剪了！」或是「那一頭鬼毛可以去剃一剃了！」

等到長大後，尤其到了臺北讀書，剛巧流行留長髮，加上無人管束，還真是把一頭鬼毛留及觸肩，額頭的瀏海遮住眼睛，也覺著挺酷的。及至過年回臺中，在臺北火車站前，竟然被便衣警察由天橋抓到警察局，一個剃頭師傅亂剪橫掃，整個腦袋頓時成為地道的鬼頭不說，還要給錢！那口氣，還真害人嗆到差點呼吸中止。

當兵時，每週都有各式檢查，每週得去理髮室排隊剪個三分頭，誰都覺得有夠醜。曾經，一位同僚為了假日去會女友，刻意躲了一次，沒剃頭髮，以為神不知鬼不覺，卻在集合時，硬被外號叫「尿桶」的連長給抓出來，判以禁閉，連假日都賠了進去。

後來去到日本，剪個最普通的頭髮，就要二八〇〇日圓，接近一千元新臺幣，這簡直要人命，怎會捨得？於是，留學生宿舍裡，膽子大點的，就開始以剪刀服務人群；當我頂著剛剪好的頭髮去上班時，同事差點沒從椅子上笑到跌落地面，說是比狗啃的還要慘不忍睹，硬逼著我花了那心疼到吐血的二八〇〇日圓，到理髮店修整；結果理髮師從頭到尾鼓著兩腮，沒好意思笑出來，三十分鐘經過，或許要把他給憋壞了。

再回到臺灣後，理髮廳都像是裡面燈光的變化一樣，有紅、有黃、有綠；既然都說藏有春色，哪好意思直截了當的走進去？於是，家庭理髮店應聲而起，絕對光明潔淨，沒有馬殺雞，就是單純的剪髮洗頭，這才安頓了一顆不安狂跳的心。只是，男女都擠在一起的家庭理髮店，還真是有夠吵。

某次上班路上，發現一理髮店，像是兒時店面的陳設，簡單又具古意，就進去了。剪一次帶洗頭，二五〇元，這價錢，親民得多，便開始長期光顧。店裡有四張剪髮椅子，三位剪髮歐巴桑，最年長的技術最佳，是老闆娘；生意最好，經常被指名（多加五〇元）的原住民胖姐，最為親和，技術尚可，喜歡跟客人聊天；另一座則是流動性比較大，經常換人。

每次去剪髮，我都在祈禱，希望剛好輪到老闆娘，她動作利落，知道我的腦袋形狀，不用問，二十分鐘內，連帶洗頭吹風，立馬搞定。某次，原住民胖姐剛好有空，我就坐上了她的座椅。邊剪，她邊跟我聊天，跟我說，很感謝她爸爸，從小就教育她們，長大一定要去城裡，如果留在山中，不是喝酒抽菸，就是早早嫁人生子，沒有前途。果然，她的先生偶爾帶著放學的孩子去交給她看顧，是位老實的職業軍人，孩子也長得標致又懂事。

有一回，才一進去，就發現有空的是一位新手，她看著我的腦袋，居然搖著頭，說是不會剪，正忙著的老闆娘差點沒氣到冒粗口，只是連聲跟我道歉，要我再多等一下。我看看手錶，後面有約，還真是不能等，就藉故溜號了。

說也奇怪，這三千煩惱絲，跟隨著年紀的遞增，居然也會有所變化。我的髮質遺傳自父親，既粗且硬；可是，忽然有一天，我發現很多朋友會讚美我的髮型，問說是哪裡的髮型師設計的，怎麼如此流行，中央豎起，有如雞冠；我這才知道，我的髮質變軟了，睡覺時，左右側躺，兩邊的頭髮自動向中央靠攏，還真成了雞冠的模樣，難怪經驗不夠的新手不敢碰我的頭髮。

經此教訓，我就不好再進那二百五理髮店了，我怕又碰上那新手，屆時不僅害她束手無策，我也臉紅難堪，多糗啊！

於是，我就近去了一家大賣場，裡面有百元理髮。果不其然，只消五分鐘，只花一百元，三千煩惱絲立刻變短了；雖說頭頂仍留有崎嶇，凹凸不平，但想想，一百元，如何去要求人家？回到家，自己洗好頭，抓把剪刀，對著鏡子，勉強修一修，也就呼攏過去了；好在三個禮拜以後，又是好漢一條，頭髮又長了，又可以捲土重來。

大賣場的百元剪髮，剪髮師的流動也很大，偶爾也會碰到有趣的。一位大媽型的，居然將我當成了「張老師」，將她家老公太老實，老被兄弟欺負，還不敢吭氣的事，說給我聽，我不好裝聾作啞，順口教她一點方法；下一趟，她一看到我就開心極了，說是我教的辦法很管用，但是現在又冒出了新的問題……。自此以後，我不敢再去那大賣場剪髮，擔心一個不留神，捲進人家家裡的紛爭，那不是難以善了？

剛好，我發現捷運站的出口也出現了百元店，這下剛好得以轉移陣地。捷運站的理髮師照樣流動性很大，兩個人輪流接客，大概不和，互相不講話；有一位，每每將平板電腦的電視劇聲音，開得很大聲，幫我剪髮的小姐，對著我擺出一張苦臉，也算是換了個方式向我致歉。而且，捷運站來去的客人多，疫情高漲下，此地多少具有危險性，氣場鐵定不怎樣，所以，該跑，還是得跑開哇！

沒想到，老母一天很興奮地跟我說，住家後面，開了一家百元理髮，那位理髮師特別仔細，剪了起碼有十五分鐘，擺明了讓客人撿到便宜。於是，我跟著「嚐鮮」，也轉了過去試了試；嘿！還真是不容易，第一次在百元店，受到了超過二百五的接待，除了不洗頭之外，無論是剃還是剪，都非常細心；往往要拿吹風機來吹去一肩的碎髮了，又臨時拿出推子，在你頸後再清理兩下子，僅是這個小動作，就讓你不由得的興起感激之情，還真是如老母所言，撿到大便宜了。

如是這般——百元去煩惱，頭頂自逍遙。只要任何人讚美我的髮型不錯，我都會立刻豎起一根指頭表白道：一百喔！

過敏大兄造反記

我生性敏感，自小開始，藉由大人臉色的瞬間轉變，立馬可以讀出他們隱藏在內心裡的坑坑疤疤，或是立即閃開避禍，或是識趣地轉頭而去。但我並不中意自己的敏感個性，我寧願自己憨慢些，遲鈍些，那才是真有福報。只不過，我從未想過，鼻子過敏的這種敏感，才是大問題，才會更加困擾人。

記憶中，住在彰化的大表哥有嚴重的鼻子過敏，往往還沒見到他的人，就已經聽到他在擤鼻子，清喉嚨的怪聲調。後來他去動鼻竇炎的手術，吃了不少苦頭，但是術後並沒有改善鼻子過敏的問題，始終看到他扭動鼻子，想要鼻子通暢的怪模樣。

八〇年代，我去了日本，每逢櫻花盛開的季節，就是花粉症大肆流行的時刻，所有防治花粉症的藥品，包括口罩，都成了藥品店置放於醒目處的熱賣商品。很幸運，前後十二年，花粉症與我完全無緣，當然，我對賞花也並不熱衷，一頭栽進工作與課業中的我，就是缺乏那份賞花的閒情逸致。

數十年過去，或許年紀大了，身體的免疫力也跟著退卻，另有一說是得過Covid-19的後遺症，總之，萬萬不曾預料得到，人生繞了個大彎，我還是嚐到了鼻子過敏所帶來的苦頭。

在臺灣還被一波波的寒流圈著團團轉的二月初，我與工作團隊在溫暖的墨西哥灣非常愉悅，沒有冬天的度假勝地——玉海，不僅陽光可人、景色嫵媚，站在一所訪問的學校教室裡，可以俯瞰海灣裡噴著水的鯨魚與賞鯨船的互動，簡直幸福到破表的程度。只不過，樂極果然生悲，好日子不是無止境的，才一轉到紐約，就有一記暴投的超速變化球擊中我的鼻樑。

我們團隊在某日中午，由墨西哥起飛，經過休士頓，再繼續轉飛，等到飛機在紐約拉瓜地亞機場落地時，已經接近午夜時分。領了行李後，我還心心念念掛懷著剛買的熱水瓶遺忘在機內座位前方的置物網裡，沒有注意時空環境早已突然變異；當機場大廳的大門大開，我們才要踏出，準備上車去旅館，一股強力寒流如偷襲的奇兵，猛然竄出；但覺整個人在沒有任何心理準備的情況下，一下子由熱被窩裡給拽起，順手扔進透心涼的冷凍庫裡，全身冷不防地連打了幾個哆嗦，只能不斷地在原地跳動。原來在飛機上，向下探望紐約萬家燈火的溫暖景象都是虛妄的，等到實際接觸到平地零下的氣溫，就再也笑不出來；來接機的好友還連聲恭喜我們晚到兩天，避掉了紐約零下十多度的酷寒凌虐。

隔日一早，團隊以徒步的方式，走向曼哈頓的地標拍攝，我雖然已經把所有的禦寒衣物都穿上身，就連保暖的毛帽都上了頭，但是走著走著，鼻水自動冒出來不說，戴了手套還放在大衣口袋的雙手，依舊感受到冰到割手的寒氣始終在口袋裡盤旋不去。當晚，好心的齊流、錦耀師兄宴請團隊在曼哈頓打牙祭，吃了地道的義大利菜，走回飯店的時候，我就發現，鼻腔不對勁，好像有異物在騷擾。

果不其然，我的呼吸道在睡下後非常不適，半夜幾次起床喝水，還緊張兮兮地測試自己是否中標染疫，那陰性的一根紅色直槓顯著標明，沒有任何染疫的可疑痕跡。等到晨起，我的兩個鼻孔，簡直就是經年不曾打掃過的煙囪，污垢幾乎占滿了通道，我費上吃奶的力氣，才得以清空所有的障礙物。於是乎，我的聲音帶著鼻音，聽起來就是感冒了。

鼻子過敏的症狀，自此緊緊跟著我，旅途中也不便去找醫生，更何況美國的醫療費用有名的貴，我哪敢去碰？於是，我只好在車輛的移動中，不停地喝水，不停地找廁所，然後發現，坐在我後座的口譯張瓈文教授感冒了，開始擤鼻涕，也跟著咳嗽起來。我的內心不斷祈求佛菩薩，可別讓我掛病號，後面還有許多工作等著，我還真是病不起啊！

鼻子的過敏不適，跟著我一路由紐約、紐澤西、洛杉磯，到了舊金山。等到團隊完成所有的工作，全都在舊金山上了返回臺北的飛機後，我搬到志龍師兄的家，準備後面等著的舊金山、西雅圖、溫哥華的演講分享會。

或許一路緊繃的心緒與身體一下放鬆了，住進志龍家的當晚，原有的胃食道逆流突然大舉進犯，與鼻腔的造反連成武裝戰線，一剎那，痰與鼻水匯成巨浪，席捲而來，我開始大咳，咳到氣都喘不過來，甚至噁心要吐，把志龍都嚇了一大跳。隔日，志龍趕緊去藥店幫我買來紅、藍兩色的咳嗽藥水（分為白日與晚上的用藥），那還是禁藥，需要身分證才能購買。幸好有了藥水的緊急救援，我的狂咳見到了收勢，一直轉到西雅圖，Joyce 師姐還跑了幾家才買齊了兩種藥水，我才得以一路以小康的狀態，跑完全程。

回到臺灣後，鼻子過敏的症狀還是凌駕於胃食道逆流之上，晚上躺下，枕邊一定要備上衛生紙，哪怕是半夜起床如廁，鼻子也要大夢初醒般，非要打上幾個嚇死人不償命的大噴嚏；重新躺下後，鼻水與濃痰還是順著鼻腔下滑，若是不清理乾淨，就當然不肯讓你繼續安睡，那一鼻子的酸楚，還真是有苦說不出。

我看了耳鼻喉科的醫生，醫生說，此一過敏在投藥後，頂多能緩和病症，但無法根治，我一聽駭然，難不成這過敏有如失去理性的小三，再也不離不棄的吃定了我下半生？幸好我及時再次詢問醫生，如果持續以鹽水清理鼻腔呢？醫生笑著說，一天可清兩到三次，說不定就可以安定下來。

好！好！好！我心已決！我就每天乖乖地以清洗鼻腔的容器來伺候你——過敏大兄吧！我乾脆把你當作好朋友，咱們焦不離孟，孟不離焦，就此相敬如賓的過日子吧！只要和平共存，你別單方面的挑起熊熊戰火，我也就不求醫拜神的剿滅你，咱們誰也不為難誰，這總成了吧？

聰明反被聰明誤

人的年紀逐年增長；智慧，可就不一定了。

人會經常誤判形勢，做出些傻事，這倒不會受到年齡的影響；有時，年紀愈大，還錯得更是離譜。因此，想起小時候不時會聽到大人的叮嚀：「不要自做聰明」、「不要聰明反被聰明誤」。

我們家族裡，被公認為最是聰明的，就是大姐夫。一個香港來的僑生，在臺灣讀了臺大土木系，進了「榮民工程處」，在臺灣建高速公路，到沙烏地阿拉伯、約旦、印尼包工程；而後幫印尼的大商社在大陸設廠。我曾親眼看到，大陸的包商在酒酣耳熱，步出餐廳時，將一大包人民幣塞進他手裡，他急得極力拒絕，搞了滿臉通紅，好似不是酒精所造成……。退休回臺後，竟然自行讀起《易經》，還會看八字，某日正經八百地替我排起命盤；他的兩個兒媳婦一宣告懷孕，他立刻準確算出哪個弄璋、哪個弄瓦。

大姐夫非常注意養生，十餘年前，定期驗血後，自行發現某些數字有點詭異，主動去做各種檢查，居然就查出了大腸癌，所幸只是初期，不必接受任何放療、化療，只是割除就痊癒了。最近，剛剛過完八十大壽，忽然察覺大便是黑色的，就火速前往醫院掛號。

這一折騰，就是半個月，由大腸開始檢查，然後是胃。只見血紅素持續降低，明顯血紅素不夠；大姐與孩子、親人們都異常著急，我也偷偷跟老婆說，希望不是造血功能有異；此一異常，在醫師囑咐輸血五〇〇C.C.後達到高潮。最後，醫師根據各種數據判斷，是胃潰瘍，造成出血。

這下查出病因，大傢伙總算鬆了口氣下來。唯獨大姐不罷休，追問大姐夫，每天生活與飲食都很正常，就連酒都少碰，怎麼會把胃給搞壞？大姐夫才悠悠透露口風，應該是長年都在進食之前，吃了血壓、膽固醇等處方藥。或許，空腹吃藥就是元凶。

有了大姐夫的範例採信，這才發現，吾家經常空腹吃藥的還不只大姐夫一人，就連老母也不時在阿蒂不注意時，偷偷犯規。家母的理由非常堂皇：「空腹吃藥，藥性才容易被身體吸收」。我大聲回敬老母：「難道醫生在藥袋上著名的飯後用藥是假的嗎？」

才說完，我就發現不對。我自己不也犯過同樣的低級錯誤？

自從在心血管裡裝置了支架後，我與處方藥就結下了不解之緣，舉凡抗凝血劑、血壓、血糖、膽固醇等，每天起碼五種藥，都無法離身。二〇二〇年底，遇見一位也裝了心血管支架，年紀卻比我小上許多的朋友，可是他拒絕服用處方藥；他說，凡藥都有毒，西藥的副作用尤其多，他寧願每天運動，保持身心活絡，也不願服藥。我問他，這樣安全嗎？難道主治醫生不會念叨？他說，他的驗血數字很漂亮，醫生只好默認，不再勉強他服藥。

嘿！聽他如此一說，我內心的那道防衛工事，忽然坍塌了一角，我也開始懷疑，每天吞進肚裡那麼多的西藥，搞不好到了嚥氣的最後一剎那，都不知道是怎麼死的。沒錯啊！有一陣，每晚上床就寢前量血壓，我的高血壓會低於九十，就連老婆聽到我嘀咕時，都認為我的血壓藥肯定是太強了，反倒把血壓降得太低；老婆還要我下回去醫院回診時，趕緊向主治醫師反映。於是，用不著等到回診，偷偷的，我就開始減藥，而且不只是血壓藥，包括其他的，有時隔天吃一次，然後隔兩天、三天或一週。

罷吃處方藥，有點像是在學時翹課，心中有點逆反的快感，覺得自己占了便宜，而且神不知鬼不覺。更何況，我也沒頭暈，也沒心悸，每天快走一萬到一萬五千步，不但腳步輕快，心情更是大好，彷彿年輕了十歲以上，覺得眼裡的世界特別的美好。

如此過了一、兩個月，忽然，報應來了。

我的手臂前端，忽然沒來頭的開始腫脹，四天裡進入三次急診室，做了包括斷層的各式檢查，都查不出任何出血、阻塞的病端。處於最為嚴重時，我的手臂就連刷牙都舉不起來。正巧老婆回國後在別處隔離中，身邊的同事知道我裝有心血管支架，就好心的勸我，一定要當心，萬一腫到心臟罷工就事情大條了。

我的腦子直上雲端，快速運轉、掃描各種可能的原因，我心中暗叫一聲不妙，難道就是我執意停藥所造成的後果？還有，為了接續的出國計畫，我在一個月之內，將該是三個月分攤的工作，全部壓縮完成，不但腦袋不停，四肢也不得休息，經常寫稿到深更半夜不說，還南北奔跑，外加東部，彷彿真的在與時間賽跑；當時還有點自鳴得意，認為我的精神與體力，一點都不輸給二十啷噹的年輕人，哪裡知道，苦頭已在後面候著了。

出手救我的是一中醫友人。她火速替我十指放血、針灸、食療齊下，讓我的手臂終能鳴金收兵，不再繼續作亂。她也語重心長地告誡我，身體是沈默的機器，但不可因為沈默，不會出言抗議，就自作聰明地沒有底線的酷用他；等到有一天，身體的某一器官開始罷工，將會導致雪崩的結果，屆時就連後悔的餘地都不可得了。

事隔多時，如今回想，還是心有餘悸。雖然至今並沒有找到任何醫學檢驗根據，但是我心知肚明，我雖不是醫生，但我踰越規矩，我自作聰明，我差點誤了大事。

沒錯，「自作聰明」擺明了，就是自作孽不可活。

宋代大文豪蘇軾都說過：「人皆養子望聰明，我被聰明誤一生。」這是何等沈重的反省與自我檢討啊！只不過，一般人很難承認自己因為賣弄小聰明而吃了大虧，往往自以為是，直到真正自食惡果了，才悔不當初。

六五折人生

為了激勵老人家，「人生七十才開始」成了世間最為膾炙人口的溫情喊話。對我來說，「人生六五才開始」或許更為務實，更能接地氣一些。

眾所皆知的，年到六十五歲，拿到「敬老卡」，搭公車、捷運、高鐵都有大幅度優待，看電影、逛景區，都能讓這些人老心不老的初老人士竊喜不已。而且，站在七十、八十以上老大哥老大姐面前，會被叫聲小弟小妹，那個帶著爽勁兒的甜美滋味，也只有當事人可以體會。

只不過，拿了「敬老卡」的老小孩們，就算表面再風光再喜悅，也還是遮掩不住身體零件生鏽、故障的趨勢，每三個月就得到醫院回診，拿上幾大包慢性病藥丸。於是，退而求其次，心想，如果身強力壯，精神威武，成家立業，攀登上事業高峰的人生滿點是一百分，那麼，面對現實吧！老小孩們將人生的新起點重新定位，就像是百貨公司的大拍賣，所謂的「六五折人生」，應該也說得通吧？

說白了，我此刻的人生，還真是「六五折人生」的社會寫實片。

有一晚，左大腿銜接臀部的髖骨處，忽然爆痛，好不容易入眠的我，被那劇痛給驚醒，就連上廁所都一拐一拐，每邁出一步就像是有鋸子在鋸，就算假牙已然拔了，還下意識地在咬著僅存的殘牙，忍痛。天亮後，老婆幫我塗上鬆弛的藥劑時，好心叮囑我，一天一萬步或許太操了，不是也有專家建議，像我此一超過六十五歲者，五千五到六千五百步，就已足夠，多出來的，不但對健康無益，還會傷及筋骨。

這可不是？好一個現買現賣的「六五折人生」！

我試著開始減法，拋棄過去數年來引以為傲的日行萬步計畫，縮小了程式，只要六千五百步，就可鳴金收兵；說也奇怪，真的不痛了。偏偏我這人有自虐傾向，舒服了幾天，不信邪，趁著某日春光嫵媚，涼風親和，就有意的多走一些，跨過一萬大關，結果，還沒回到家呢，那不安分之處，又陰陰地開始作態，給我臉色，害了我趕緊求饒，一入家門就躺在沙發上久久，極度諂媚的向髖骨示好，它才沒有絕情的再次撕破臉。

於是，我學會乖巧些，學會務實些、聰明些，開始審視我必須面對的「六五折人生」。

十多年前，《點燈》與音樂人協會在埔里紙教堂合辦活動，我經常要搭乘當時為音樂人協會理事長的殷正洋的便車，每每自臺北到埔里的來回路程中，我們都有聊不完的話題。有一回，聊到老的問題，小洋說，他年邁的母親每天都對膝蓋與髖骨的疼痛宣戰；他心疼母親，要母親多在家休息，但母親並不如此認為，母親跟小洋說，愈是疼痛，就愈要走，如果早早豎起白旗，聽任膝蓋與髖骨耍廢公休，有一天，或許就再也無法行走了。

聽著聽著，我首次對老後生活品質的必然衰落，有了具體的認知。

沒過多久，當時年屆八十的家母忽然決定，再也不願忍受膝蓋的疼痛，決意由臺中北上，在臺北的醫院來整治膝蓋。

老太太住院開刀是件大事，家人的皮都繃得很緊，因為老太太是我家的「希區考克」，隨時會出題目製造緊張，隨時會改變心意加強懸疑，我們必須有充分的心理準備，確認她被推入手術室後，開刀一事才算塵埃落定。幸好，我們遇到了一位視病如親的好醫生，每天對著家母說柔軟語，還誇讚家母體質好，就連下刀的剎那，看到切開的骨與肉都鮮紅而有活力，還保證家母的復原會超出預期許多。有了帥哥醫生的加持，家母在醫院的日子過得逍遙又歡快，沒有為子女們製造任何頭疼試題；就算依依不捨的出院後，還巴望著回院換藥。有一天回醫院，準備進行另一條腿的膝蓋手術，坐在門口的義工，大聲地在跟路過的病患分享，說是最近有位八十歲的老太太，成功又快速的開好了一個膝蓋，已經變得生龍活虎；家母非常得意地指著自己，急著插嘴大喊，她就是那個八十歲的老太太。

喔！原來如此，六五折的人生，還要有明朗開放的心境，才能利人利己的過關斬將啊！

接著下來，輪到小我兩歲的大妹。她已忍受多年髖骨造反的折磨，寧願在無效的按摩上找慰藉，也不肯面對進一步的治療；直到一次日本行，同行的朋友拖著她上下地鐵站，把她逼到「痛不欲生」的絕境，這才痛下決心，於回臺後，願意到醫院接受醫生的審判。果然，醫生責備她，髖骨與大腿骨之間的韌帶已然不見，已被她折磨到骨骨摩擦，互不相容的險境，必須立即開刀，才能擁有較好的生活品質；醫生並且追加說明，髖骨老化病變，也與遺傳有關。這下，我們全家人都不吭氣了，因為，一向「百善忍為先」的大姐，早就發生髖骨退化的問題，她悶聲不響，每天照樣上下公寓的五樓不說，一邊要拎著大包小包的青菜、水果、排骨、雞腿，一邊還要夾著不安份的孫子、孫女上樓回家。

就在大妹髖骨手術成功的三年後，大姐終於不敵椎心之痛，願意在疫情升高的尷尬時刻，乖乖地走進醫院檢查；其結果不用醫生開口，就連我這門外漢都可以猜測得出來；醫生說，大姐拖了太久，髖骨的磨損，也已影響了心臟，就連手術的麻藥，都要格外上心，才不會影響且增加心臟的負擔。躺在醫院「待宰」的大姐這才悔不當初的承認，她不該折磨自己的臭皮囊到如此不堪的地步。

經由大妹與大姐的親身示範，我立刻也有所警覺，原來六五折人生絕對不容許逞強、忍耐、逃避、消極等酸腐習性的暴走；歷經幾十年歲月的掏洗，既然肉身的零件都成了破銅爛鐵，也打了六五折，如果還是冥頑不靈的堅持己見，不見棺材不落淚，那麼，等在後面的，或許是五折、四折，甚或跳樓大甩賣的二折、一折了。

既然話都說到這份兒上了，我必須招供，其實，我何嘗不是掩飾著自己的鴕鳥心態，暗自巴望著自己的髖骨可以繼續耐磨耐操、乃至不藥而癒？這回全都寫出來，也是不得已的苦肉計，為的是讓左右的親友們一見到我就會追問：「你去醫院檢查髖骨了沒？」。

時光倒流六十年

轟然而至的疫情，進入第三年了，還是如此的刁鑽難搞；耳膜都被各式蜂擁而至的負面耳語磨出了繭，若說心境不受影響，倒真是騙人的；更何況，染疫者的名單，早已水銀瀉地般竄過層層人牆，進入親人、好友群裡，就算修持再好的人，怕也難擋此一嗡嗡作響的警報系統，長鳴不絕。

既然所有的工作計畫、演講、會議、課程、飯局等，都無限期的延後，大把的時間，陡然握在手裡；下意識中，有點不真實不說，還有某種錯覺，擔心那會是流動的細沙，還沒來得及意識到，時間就被蹉跎的地心引力給悄悄放浪，自手中一逝無蹤。

於是，趕緊向自己溫情喊話：「別急啊！擔心個啥呀？姑且就放慢節奏，回到過去，那個牛車滾動在碎石子路上的日子吧。」

沒錯！就是把日子整個放慢下來，把心境都穩當下來啊！

我把手算了算——嗯，那是六十年前，只有靠著雙腳走路上學、上山遊玩、下河戲水的無憂無患的日子不是？

那時候的六月份，天氣當然已熱得悍，還沒有冷氣機，就連電風扇都是奢侈品，唯一的慰藉是扇子，以及父親用草繩拎回來的一大塊冰塊。冰塊一進屋，室內的溫度好像立即下降了七、八度；看到父親使用大菜刀，剁了冰塊四處蹦著飛，母親覺得可惜，立馬下令，要我到隔壁袁木匠的家裡借銼子，一尖一扁，將刨下來的冰渣都掃進洗澡的大鋁盆裡，然後加入紅糖水，以及十來顆乾的紅酸梅，於是，我家難得的歡笑聲，充斥在狹隘的小小客廳裡，那是兒時再甜蜜不過的回憶。

有晚，晚下班的母親，車籃裡放了一個大西瓜，我們急著把西瓜浸在水缸裡；感覺上，好像過了好久好久，我們五個孩子迫不及待地催促著父親趕緊剖了開來；第一口咬下，西瓜還留有原先被太陽曬過的體溫，還溫熱著呢。可是，誰又在乎呢？不到一分鐘，就啃完了屬於我的那一片。只因西瓜太大，母親要我們別撐壞了，乾脆留下半個，隔天早上當早飯都可以。這一夜，我的夢裡，全是一望無際的西瓜田，還有鍾情在電影《採西瓜姑娘》裡唱的主題曲：「早看瓜、晚看瓜，滿園的西瓜都長大，西瓜長大了有人買……。」隔天上午，我比任何人都起得早，就為了貪戀飯桌上的那半個大西瓜，只不過，才啃了一口，我就發出了慘叫聲，原來天太熱，熟透的西瓜居然餿掉了。

在那個物質缺乏，生活簡單無華的日子裡，人的心腸，好像也直不溜秋地不會轉彎，只要有點小滋味，小精采，就感恩頌德的覺得太過幸福美滿，一個不小心，不滿足，說不定老天爺就會收回去的。例如，大部分會在六月份撞到的端午節。

我查了一下萬年曆，六十年前的一九六二年，六月六日，便是端午。啊！對吼！那天一早，奉了母親的聖旨，我就拉著小夥伴，到村子後頭的河畔，一大片無主的竹林裡採收竹葉，這可是免費的買賣不是？

那時的眷村媽媽們，個個都精明能幹，十八般武藝，樣樣皆通；包粽子，當然也是小菜一碟，難度係數幾近於零。從浸泡糯米開始，我就在旁邊繞，等到母親坐上小板凳，準備要包了，我就得小心一點，別太靠近，萬一擋住大妹搖著的扇子，讓母親感受不到一點涼風，我很可能就又挨上母親的一巴掌，中彈的大腿，還附有黏著的糯米。

我家的粽子，非常清爽，裡面沒有任何內餡，別說是滷肉，就連一絲香菇都沒，蓋節儉持家是不破的原則。縱然沒有內餡，但是蒸熟的粽子，香氣真是迷人，竹葉與糯米還真是默契十足的一對戀人，兩者DNA的優點精華，都貫注在粽子上，您說，能夠不好吃嗎？當然，雖然家窮，但也不能寒磣過了頭，母親還是買了兩種糖，一種是粉狀白色，一種是顆粒的細糖，讓我們沾了粽子吃。兩種糖相較，我偏愛顆粒的，一口咬下，糖粒與粽子在唇齒之間娑婆起舞，既喜悅了牙口，也歡愉了味覺。

時光有如變心的情人，一轉頭，絕不回首。六十年過去了，對於粽子早已失去熱情的我，或許時間多了，想法變了，居然也在今年的端午前夕，開始琢磨，該買些什麼樣的粽子回來過節。北部粽？南部粽？鹼粽？客家粽？一問母親，母親只是淡淡地回答「沒有任何粽子，要比什麼都不包的粽子香嫩滑口。」原本我想開口，投內餡為豆沙的鹼粽一票，但老婆立即對著我使了個眼色，我立馬會意，接連說了幾個好字。

我隨後也在思考，白粽子真的會比較好吃嗎？

物質的充沛，養刁了人們的味覺，總覺得一山還有一山高，不但樣式要變化，味道也得在精、在奇、在重、在貴。曾幾何時，我們對食材的原味，已不在乎，君不見夜市裡，最夯的經常是油炸鹽酥雞的攤子；年輕人不分春夏秋冬，手上拿著的，全是手沖飲品，完全不在乎裡面的化學成分，是如何在戕害著身體。

六十年前，我們愛戀的清冰、瓜果、白粽子等，以今日年輕人的眼光來看，都成了退了流行的粗貨；如果據理力爭地與他們辯論，怕也得不到任何便宜吧？

疫情的喧鬧與不安，徒然使得人心越形糾葛；只因口罩遮掩，我已養成一種習慣，去閱讀擦肩而過的行人的那一雙眼睛。惶惑、猜疑、提防、冷漠，在在宣示了缺乏安全感的徵候。如果，我們都能在此攪和人心混濁的亂世裡，回頭看看走過的那些年頭，是否也能試著去重拾單純、簡潔、清淡，物欲不彰，容易滿足的美好時光呢？

試試看！會不同的！

戰火浮生

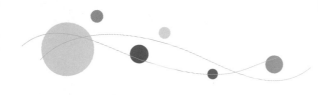

小時候，最愛看戰爭電影，喜歡英雄殲滅梟小的快意，更鍾意砲火下的同袍情誼；哪怕是騎兵隊與紅番的大戰，都一面倒的給騎兵隊加油，一直到後來看到美國電影裡，對白人搶占紅人、土地、牛馬或婦女的殘暴，才發現自己被好萊塢給洗腦了。

成長的歲月中，戰爭從未離開自己太遠，從八二三炮戰、韓戰、越南戰爭、以阿戰爭……，戰火的殘酷無情，由眷村長輩們的口中無限延伸。只不過，任何戰爭都沒有二〇二二年開打的俄烏戰爭更是讓人揪心的了。強國欺負弱國原本就是歷史中一再重演的爛戲，國際間的爾虞我詐分明是虛情假意的外包裝。正義？根本是布偶一具。我曾經有所期待，期待年初西方與美國對俄國的叫囂，會有某種調和作用，是否會讓俄國與烏克蘭坐下來，好好針對雙方的歧見，做出有智慧的決斷，沒想到，這套劇本太缺乏想像空間，硬是按照粗糙的模式開演下去。結果，俄烏之戰，就是場烏賊之戰，一團墨汁中，敵我不分，所有攪進來的國家，心中各有盤算，明爭暗鬥，機關算盡；無辜的烏克蘭人民極其可悲，家破人亡的背後有太多辛酸，選錯了領導人物或許是最為扼腕的悲劇之一。

逞凶鬥狠，是動物的天性之一吧？只要牽涉到生存問題，寸步都不能讓，不鬥出個你死我亡，一場烈火薰天的爭戰，絕對無法善了，更遑論得以鳴金收兵了。

近代中國，從滿清遭到列強撕裂分食開始，就是一段沒有盡頭的民族血淚史。而後，日俄戰爭在東北開打，對日抗戰爆發，國共內戰鬩牆之爭接連發生，最是悲哀的就是命如螻蟻的百姓。尤其是國共內戰，拚的是政治鬥爭，倚仗的是美、俄列強的煽風點火，此一惡果，時至今日，都還未能偃兵息鼓。

幼時居住的眷村，就是一個亂世裡偏安一角的複雜小社會。由內陸、沿海赤手空拳來到臺灣的族群，正值英壯盛年，就算回不了一水之隔的老家，也得在這個島嶼上安身立命，繁衍子孫。各持著南腔北調的軍人與家眷們，基本上，都是男人板著一張臉，女人轉得像陀螺，孩子都是野成一群。往往，一家之主外出工作後，女人都要在食指浩繁中張羅出捉襟見肘的食衣住行，是故，你借我一杯米，我借你一勺鹽，成為生活中的某種常態，相濡以沫是活下去的另一章法。

不過，例外總是會有，婦女若是像母獸般的撕咬起來，也是嚇人的。某日，住在村口第一戶的王家媽媽，與隔壁的李家媽媽起了糾紛，所為何來？還不都是雞毛蒜皮的小事，不是你家晾在籬笆上的抹布被風吹到我家，就是我家的母雞鑽過籬笆的空隙，跑到妳家生了個要不回來的雞蛋。反正，吵了一陣後不知是誰先動了手，王媽媽的手臂上被抓了道血痕，戴眼鏡的李媽媽在眼鏡被打飛後，成了睜眼瞎子，恰好被王家剛放學回家的大女兒一個箭步上前，推進了門前的大水溝。

這下可好，整個眷村像是被空投來的炸彈給炸翻了，所有的老弱婦孺都傾巢而出，指指點點也就算了，有的還加入戰局，趁著拉開王家大女兒之際，順手在她惹事的手腕上掐出一塊紫紅。

這場鬥爭的結局可以想像，兩家子都不屑與對方為鄰，先是李家火速搬走了，沒過幾天，王家也過不下去，連夜叫來卡車將家當全都搬離。或許，這一架的成本過高，而後的眷村，終是安和樂利了下來，只有偶發的零星小磕絆，再也沒有轟動到隔河岸的農家都跑來看熱鬧的迭起高潮。

對於爭論與衝突，我素來就有點害怕，或許，就是從小受到長輩對無情戰爭的描繪，以及父母三天一小吵，兩天一大吵的影響。

貧窮，真的是遭人厭惡的乾癬，汗一流就會惡化，愈抓愈癢，愈癢愈抓，造成惡性循環，永遠無法根治。因此，我對父母爭吵的解讀就是家裡又缺錢了。父親是低階士官，收入原本就微薄，加上他偶爾賭博、嗜酒，薪水袋就更是弱不禁風地漏了底；每回，父親垂頭喪氣地被母親的咆哮鎮壓到喘不過氣時，我就知道，父親又要偷賣汽油了。

身為駕駛，父親的勢力範圍就是那輛冬天蓋著帆布，夏天將帆布捲起的交通車。交通車燃燒的是汽油，軍用汽油還特別染過色，與民間的有所分別，或許就是要避免一些不正當的買賣行為。只不過，一旦面臨無米下鍋的窘境，身為一家之主的父親，還是要想盡辦法的籌錢買菜，餵養一家七張嘴。於是，就在深夜，看見父親低著頭，一聲不響地提著美式的大型汽油桶往外走，我就知道，父親在做不光彩的事。曾經，我明知故問地詢問母親，父親為何鬼鬼祟祟的像個匪諜似的？母親的表情很複雜，既想一巴掌要我閉嘴，又想遮掩住難以啟齒的不堪，最後只能咬牙切齒地要我少管大人的事，趕緊洗腳洗臉上床睡覺去。

多年後，長大了，也搬離了眷村，我忽然非常感念眷村裡的叔叔伯伯阿姨們。我相信，父親盜賣軍用汽油的事，必然會有風聲走漏在外，我還十二萬分擔心過，擔心有一天會有憲兵上門，將東窗事發的父親帶走，但是沒有。我想，是村子裡的長輩們放過了父親，乃至我們一家子，畢竟任何人只要衣食無缺，豈會放著安逸的生活不過，去做貪贓枉法的壞事？如果不是被窮困逼到無路可走，誰會願意被人瞧不起的獨走暗夜黑巷？

大學畢業後，我抽中了海軍陸戰隊，雖然大專兵多少有受到某種不成文的善待，但我總是會不經意地聽到某某團在操演時出事，幾人意外喪生；我也會突發奇想，哪天海峽兩岸的戰事若是再起，會是何種景況？我們海軍陸戰隊是否真會成為第一線的炮灰？有時，夢中的戰事激烈，我經常是匍匐在戰場濠溝中，水壺裡沒有半滴水，還沒吃到子彈，說不定就因為口渴而亡。

日前與幾位老友相聚，都是奔向七字頭的人，對於戰爭的不安，好像也都揮之不去；我們的年歲雖然已再難奔赴沙場，但是我們的親友後代們，又該為了無知政客的盲從與愚癡，硬是不明不白的去拋頭顱灑熱血嗎？酒酣耳熱後，每個人的心頭好像都掛上了好幾個秤砣，只會啷噹作響，卻死活除之不去。

尷尬時分

多年多年以前，由日本回臺度假，自是聚會、酒宴不斷。某日中午餐會結束，熟識的學妹問我去何處？可以讓我搭順風車，我自是歡喜應諾。

上了學妹新購置的香車，果然氣象不同，不但冷氣強，香精也用得好，淡淡幽香，一點都不嗆人，但我立即不自在了起來，因為學妹穿了條不能再短的熱褲，雪白的一雙美腿，就擺在眼前，毫無遮掩。我起先還故作鎮定狀地與她哈拉，但只覺襯衫的領口越來越緊，造成我有些呼吸困難，於是，只能採取唯一的自衛方式，對學妹直言道——妳可把我害慘了，坐在如此近距離的副駕駛座，我都不知道該把眼神定在何處了？

學妹聽了放聲大笑，她這一笑，淡化了

我超級尷尬的立場，車內的氣氛瞬間輕鬆了起來；學妹開始跟我細說職場裡，有哪些混蛋男性，在施行性騷擾時，遭到她的無情回報（例如，她故意將滿腹的酒菜，全都吐進了登徒子名貴的西裝口袋裡）。

我想，很多人都會有過相同的經驗，尤其是在尖峰時刻的擁擠公車、捷運裡，當身邊站了位穿著低胸針織衫的女郎，該如何處置自己的眼神？有一回，我的右手邊就站著這麼一位噴火女郎，隨著擠進車廂的旅客越來越多，她居然用她的手肘來抵住我的側面胸骨，還真痛；或許那是她很自然的自保行動，但我可不依，我立刻大聲問她，為何要故意拐我？我的直覺反應，當然也是為了防衛自己，省得我被整車人的白眼球給當場擊斃。

西風東漸，人心也跟著趨於解放。不知何時開始，無論年輕或是稍微年長的仕女們，都落落大方地願將火熱身材展現在大眾眼前。有一天，與幾位朋友聊起此事，一位女性好友立刻接話，她認為，有的女性認為某種裝扮，可以讓自己最美好的部分呈現，有何不可？我立刻點頭如搗蒜，全盤收納，沒再敢吭氣。

身為男子，偶爾，也會遇見超尷尬的一幕。

多年前，在東京結識一位較我年長多歲的阿姐，她與一般日本人不同，個性直爽，有話直說，也愛喝兩杯，每每喝到微醺時，就笑得更是爽氣；她喜歡藝術，與男友一同開設藝廊，常在藝廊開辦小型音樂會，朋友很多。她家有一琴室兼客廳，提供給我作為到訪時的臥房，自己與男友住在另一間和室裡。她家的廚房就是我家廚房，我經常將她放在冰箱多日的食材全都炒煮成一桌，她與男友負責開酒，開心地開懷大吃，又說又笑，真是喜樂。

有一晚，洗完澡，我躺進她鋪好的沙發床裡，微醺的她特別開心，跟我道晚安後，順勢俯身，在我的唇上親了一下，我瞬間變成石膏人，因為她男友就睡在隔壁，我擔心萬一被她男友撞見，還真是糗大了。隔日酒醒，她啥事都沒，幫我們煮咖啡，烤麵包，拌沙拉，我反倒開始有些不自在，也不敢直視她。

而後，有很長的一段時間，當我再去日本，改去另一對日本夫婦的公寓下榻。住在附近的她還直嚷嚷，想吃我的中華料理，要我下一趟一定要去她家住。以前有部港片叫《色不迷人人自迷》，人家將我當成小老弟，我又何必自作多情，想入非非？是故，也就一切歸零，又去她家打尖。直到有一回，我打電話給她，跟她說，某月某日會進東京，她立刻滿懷歉意地跟我說，她與男友分手了，家裡也養了隻小貓，以後就不方便再接待我，我連聲說好，再三感謝她多年的照顧。所以，誰說異性不能成為好朋友？

同樣是在最近的聚會中，一位資深媒體人說出她心底的一段痛心往事。多年前，她領著新進女記者去採訪的電視台拜碼頭；沒隔多久，那位生嫩的美眉苦著臉來跟她說，她想要採訪電視台的一位製作人，製作人帶她進入會客室，立即反鎖會客室的門，轉身就開始強吻她，把她嚇得花容失色：也因為這件性騷擾，那位新進美眉立刻辭職，不敢再繼續採訪工作。

這位資深媒體人當然極端憤怒，她說，因為她自己的撲克臉是她的保護膜，沒有一個採訪對象敢輕薄她，但是電視台的人怎可欺侮涉世未深的年輕女生？她終究還是向該位製作人的上司告了狀，上司後來回報，那位外貌老實的製作人承認，因為當天中午吃了殺青酒，在酒精作怪下，才做出失去理智的輕薄舉動。此事後續如何善了？我不知道，但依稀記得，那位製作人好像提前退休，移民國外。如果此事真是與性騷擾有關，我倒認為該製作人敢面對自己的過錯，退出江湖，應該是有藥可救才是。

我有一位好友，在職場上也險遇過性騷擾。她真正痛苦的不只是確實遭受到騷擾，而是許多同事，包括女性，私下批判她，說是她日常言行，有某種暗示性，例如，她總是笑臉迎人。此令她百口莫辯的說法，傷她極深，就算她火速辭職，離開那個工作場域，但只要每想到一次，就有皮破血流的痛楚。直到多年後，偶遇當年的加害者，對方當面誠懇地向她道歉，她的傷口才真正得以結痂止血，否則，她一直在懷疑自己，是否真如某些人的指陳，是因為言行不夠端莊，才自取其辱的招來橫禍？

Me too 的風潮究竟要在我們周遭延燒到何時，沒有人敢斷言；處在風口浪尖的此刻，真的要時刻提醒自己，一如提高免疫力，才能免除疾病的感染一樣，如何單純自己的生活空間，培養自制能力，避免捲入職場與生活場域的是非圈，或許才是明哲保身，遠離尷尬時分的最佳途徑。

驪歌初唱

我永遠記得，小學四年級某個六月天的下午，才睡完午覺，眼睛有點睜不開，不知道是沒睡飽，還是太陽太大。

老師要我們列隊，集體前往有風琴的教室，練習一首歡送高年級學長畢業的歌曲〈驪歌〉。

我讀著黑板上，老師寫下的歌詞，竟然似懂非懂的有了觸動，瞌睡蟲也倏忽不見了：「筆硯相親、晨昏歡笑、奈何離別今朝；世路多歧、人海遼闊、揚帆待發清曉」，我已然在咀嚼所謂「離別」的滋味。老師教唱幾遍，最後以風琴伴奏；我們唱著唱著，幾許哀愁，雖然看不見，卻如窗外藍天的朵朵白雲，低低的，像是要飄進教室裡，也想繚繞在我們的手臂間，靠在我們細窄的肩頭上。我有點無措，眼前迷迷的泛起了一層帶有水氣的薄霧，喉嚨也跟著微微鎖緊，一向自豪的大嗓門，瞬間啞了。

後來才聽到同學不知從哪裡學來的：「清清消暑，芭樂蓮霧，鳳梨西瓜攏有……。」於是，每到六月份，耳畔總會響起陣陣芭樂蓮霧。

又過了兩年，輪到我們要畢業了，再次被老師帶進了同樣的教室裡。與兩年前不一樣，再唱〈驪歌〉，傷感的強度降低許多，反倒是有點茫然，對於未知的未來，有憧憬，也有不安；那句「聽唱驪歌、難捨舊雨、何年重逢天涯」好像在催促我們快點長大，才能知道何年究竟要多少年？天涯到底有多麼遙遠？

或許〈驪歌〉的印象太過強烈，佔據了太大的記憶體，我那小學畢業典禮是怎麼開始的？如何結束的？過程又是如何？居然沒有絲毫蛛絲馬跡得以追尋。

初中讀的是臺中市立一中，我畢業的那年，進校的一年新生，已經都是不用考試的「居仁國中」國中生；所謂的「初中生」，就此成為歷史的陳跡，不具任何意義。

我必須要感謝這群國中的學弟學妹，依照我當時的成績，一個不當心，很可能又要留級，畢不了業；學校多少帶有些許放生的慈悲，如果硬要把我們留下，太難善了，就讓我們幾個功課不佳的學生，能順利地畢業了。

難道是畢業得不夠光彩？初中畢業典禮在我的記憶體內，竟然也是空白一片；有唱〈驪歌〉嗎？胸口有別著一朵紅花嗎？畢業紀念冊有找同學簽名嗎？一直到畢業數十年後，一位偶然結識的新朋友，在臺中收購到一批二手書攤的舊文物，其中居然就有民國五十八年度的居仁國中畢業紀念冊，三年甲班一群愣頭愣腦的呆照中，赫然也有我的。

高中三年，過得要比初中自在多了；反正大家的功課一樣爛，沒有啥好自卑的。只不過，為何高中的畢業典禮，我也全然洗掉了記憶？唯有記得畢業旅行，我們去了花蓮，又到了臺北；或許是臺北這個大都會，對我含有巨大的吸引力，我的注意焦點整個沈浸在臺北巍峨的圓山飯店、神秘的總統府、寬闊多樹的林蔭大道……，其他的，就是過眼雲煙，沒有色彩，也不帶有一點味道。

世新三年（當年是三專）算是多彩又多姿了，我讀的是電影製作科編導組，但是世新合唱團等於是副修，起碼有兩年是整個泡在合唱團的練唱、郊遊活動、校外公開演唱中。等到三年級，又全力放在臺視的劇務工作上，每週都有收入，得意得很。是故，世新的畢業典禮，我並沒有放在心上；或許當天有戲劇節目的錄影，不參加，成了最堂皇的理由。

後來去到日本，只因日本不承認三專的學歷，我又重新考了日本大學藝術學部的放送學系。四年的課程，除非有考試，翹課是我的常規；同班的幾位留學生都知道我既要跑新聞，還得發稿，任何有關筆記、考試的大小事，他們都會罩我；對於學業的漫不經心，連帶著也傳染了畢業典禮吧？典禮當天，我去了學校，畢竟能夠順利畢業，算是我的運氣；只不過，典禮當天是開心的嗎？與同學去了居酒屋嗎？然後又去新宿的歌舞伎町二次會，唱卡拉OK了嗎？……除非有照片擺在眼前作證，否則答案還是一個樣——忘了！

研究所的三年，我起碼念了些德文，指導教授說，社會學的學者，有很多德國人，德文必須要會一點（強記過後的結局就是立即又都還給教授了）。所幸，我的指導教授鈴木先生，是位大菩薩，他處處護著我，讓我關關難過關關過，甚至還力挺我，無視某教授要多留我一年的建議，硬是讓我順利的拿到畢業證書。我的眼力原本不錯，為了碩士論文，我困坐在家中昏黃的燈泡下，力戰幾個月，等到交卷了，兩眼也花了。所以，我當然是去了學校參加畢業典禮，老婆知道這證書得來不易，也難得跟著；取到了一大張的畢業證書後，還請了照顧我有多多的助教，去家好吃的洋食料理店，也算是謝師了；只不過，鈴木教授很客氣，沒有參加。回想那一整天，我始終如騰雲駕霧般，老覺得腳下不踏實，原來是前一晚的畢業前夜祭，喝多了啤酒與三多利威士忌。

話說回來，這一生中這麼多的畢業典禮，印象最為深刻的還是幼稚園。

幼稚園畢業前，我出了麻疹，關在家中許久，沒有上學。等到我可以上學了，就是畢業典禮的那一天。

母親帶著我去學校，老師說，我是第一名，要我上臺，代表畢業生致詞。不知天高地厚的我，整個人興奮過度，實在是太過想念學校的老師與同學。我只記得老師把我抱上臺，讓我致詞，至於我說了什麼？是否都是老師教的？此刻的我，哪會記得？我只記得，母親直在嘀咕，這第一名的獎品怎麼會是一個紅色的書包呢？回家的路上，她拽著我，追上了第二名的小女生，她的禮物是綠色書包。母親當然要把我的紅書包跟她交換，她開心的立馬將綠書包交給了我。

我這一生因此不曾背過紅書包。

〈驪歌〉原曲來自美國歌曲〈Song for the close of school〉，日本人沿用原曲填詞為〈仰望師恩〉。臺灣光復後，由郭輝先生填詞，將日文改為中文。如今，臺灣社會多元化，此一歌曲也就逐漸淡出了校園，淡出了生活圈，卻是再也不會自我的生命中剔除。〈驪歌〉於我，有如情竇初開喜歡的小女生，那是一輩子的記憶，豈可遺忘？

第五篇

轉運見幸福

吃出幸福好味道

所謂的幸福，如何來下定義？拿尺量？換磅秤？顯然都不是！

蘇格拉底說，追求幸福的方法是求知、修德、行善。亞里斯多德則認為，真正的幸福是理性的「精神幸福」。希臘哲學家伊比鳩魯則主張，享受感覺快樂的生活才是幸福。達摩祖師在《血脈論》中引用的一句話「如人飲水，冷暖自知」，或許是替「幸福」下得最為客觀的註腳。

話雖如此，觀察身邊的眾生相時，我們還是可由他人展現於外觀的臉譜上，讀出某人當下所洋溢出的幸福指數，那是具有豐沛渲染力，也能讓你跟著心花盛開，例如：淡水老街路邊，餵著懷裡腦麻孩子食物的母親；沒牙的老者，把臉皺成一團，正乾掉手中那杯泥煤味衝鼻的陳年威士忌……。

一位歌聲空靈的歌手，想像中，與她相伴的不是雲就是霧，仿若不食人間煙火，不愁人間事，就是幸福的全部。偏偏，我在她臉上看到的幸福感，不是在舞臺上，而是實際的生活當中，那還是與茶米油鹽有關——她是齊豫。

有一天，忽然聽齊豫說，要以實際行動來推廣素食。一開始，我只當她說說罷了，等到關鍵時刻，肯定就豎起白旗，甚至忘卻了曾經興起過的此一念頭。等到有一天，我們這群在旁搖旗吶喊的朋友們早早都消音了，才一回頭，卻發現她已在內湖某條路邊，簽下了一所店面的租借合同。老實說，我不以為然，一樓的主體是狹窄的玄關與廚房，爬上一段嫌陡的樓梯，上到二樓，才是用餐的空間，就算客滿了，頂多也超不出三十人。這樣一天要做多少生意，才能保住本錢？還有，一個致命的高風險颶風，已然強勢要癱瘓世人的生活與生命——Covid-19 新型肺炎病毒，正在改變世界。

嘿嘿！有夢的人兒最是幸福——她理想中的素食餐廳，居然就如期開幕了。

沒有擺出任何明星的架式，她樓上樓下地跑，就怕客人吃得不開心，就怕食物做的不美味。正當生意在疫情中見到了抬頭的態勢，忽然傳說，主廚出了問題，撂下手中的鍋鏟，不幹了。她又四處託人介紹，在短期內，補上了掌廚的靈魂人物。

吃著吃著，我們這些啦啦隊，又開始替她獻策，紛紛提出建議，要她拓展外賣品項，要調整售價，要推出更主動的行銷策略等等，她點頭如搗蒜，我們當她聽了進去，但突然，拐了一個彎，她乾脆取消了與奶蛋有關的菜色，成了徹底地道的「淨素」餐廳。

客人似乎有了更好的評價，慢慢地，需要事先訂位才有可口的素餐可以落胃。有一回，齊豫忘記登記我的訂位，店長臨時恩准我們在四十五分鐘之內，把點好的各式餐點一掃而空；還沒來得及把嘴上的油漬擦掉呢，預訂我們座位的客人，已然在樓下候著了。

齊豫忙得更是樂和著了，哪個區塊欠缺人手，她立刻補上。客人要求合照，她的臉沒上一點妝，也在連聲抱歉的情況下，滿了客人的願。後來，為了禮貌，她每天必須戴上假睫毛，再依賴口罩的掩護，隨時比出一個V字，面對客人亮著閃光燈的手機。

二〇二一年的五月初，廚房的紛擾再次襲來，兩手一攤，齊豫不得不投降。歇業前的最後一夜，一群死忠的好友們，全都聚集在二樓，像是過聖誕夜般，氣氛嗨到不行。在廚房忙到滿頭大汗的齊豫又宣布，飲料全部招待，拿鐵、梅茶隨意點。等到全員都吃撐喝足了，齊豫又站在門口，一人分送一顆紅通通的大蘋果，祝福人人都得以在不安的疫情中，獲取平安與健康。出了店門，我回頭多看了一眼燈火通明的餐廳，心想，推廣素食的理想已經實現，美好的幸福已然抱了個滿懷，這一下，齊豫不會有遺憾了。

歇業不到一週，臺灣的疫情如猛虎下山，峰煙漫起，嚇得人們全都躲在家中噤聲禁足；我們不禁偷偷替齊豫鼓掌，這下恰好逃過一波慘絕人寰的市場風暴席捲，否則不知又要燒上多少新臺幣。

八月，天熱，人也躁，忽然傳來消息，那所素食餐廳又再次開市營運；但，疫情不是依然嚴峻著，為何？然後才得知，員工待業幾個月，找不到工作，菩薩心腸的人，因而看不下去，再次挺身而出。

這下可好，舊店新開，表示理想不亡，幸福依然有望。

某個打烊後的夜晚，我臨時有事，要將一份資料交給齊豫。到了餐廳門口，門是虛掩著的，燈火皆滅，所有的員工都已回家，只有廚房還透出一線光亮，另有嘩啦嘩啦的沖水聲傳了出來。我刻意對內大喊，或許水聲太大，裡面的人沒聽到，我順手推開廚房的門，門裡，只有齊豫一人，專心一意的沖洗著落在洗碗槽裡，高高疊著的一堆碗盤。

我有點恍惚，覺得眼前是位再平常不過的打工大嬸，盡責又本分的伺候著沒有生命的餐具；那種安然自在，心無旁騖地投入在工作裡的神情，應該也是另種專業精神的投射，這不也就是完成責任的充實感與成就感？那個瞬間，我有點洩氣，如果我是畫家，不就可以立刻素描下來，並題名為「幸福」。

幸福，時刻會在我們的身邊醞釀、運轉，端看我們是否有心去感受得到。很可能，是瞥見西天桃紫爭妍的彤雲；也或許是炎炎夏日的午後，觸碰到上有白泡沫，下是深褐黑啤，外圍已冰到水珠凝聚的玻璃杯的剎那。在我眼裡，那所推廣素食的小小店面，就是運轉幸福的一個轉運站，因為那裡，吃得到酣暢純粹、賓主盡歡的幸福好味道。

就是愛戀銅製火鍋

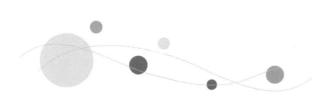

我就是迷戀煙囪銅製火鍋。

我就是看不上一般的火鍋。沒有造型，沒有步驟，沒有儀式感；一股腦地把作料全下了鍋，多沒情趣！多沒創意！

煙囪銅製火鍋就是不同。

兒時，在記憶中，農曆除夕的團圓年夜飯，重頭戲絕對不是大魚大肉，而是那冒著白煙，熱湯燙得鍋身滋滋作響，美食在鍋裡翻騰歡呼的煙囪銅製火鍋。

每逢農曆除夕的下午，母親就要我鑽到床底下，將包裹妥當的銅製火鍋掏出來。原先就清洗得非常乾淨的銅火鍋，外圍包著的舊報紙當然已沾有一層灰塵，只要將功成身退的舊報紙撕去，讓銅火鍋在水池邊上以清水沖洗一下，就立刻閃耀於午後的暖暖冬陽下，像是大肚子的老太爺，肥敦敦、喜孜孜的，煞是精神好看。

買木炭就是門學問。初始，都是父親帶著我去買木炭。我老要去挑選細長如棍的木炭，父親就猛然搖頭。父親說，要挑就挑胖一點的，節與節之間要長一點，像是買甘蔗一樣，才耐吃、好吃。粗一些的木炭敲開來，別太小，只要能放進火鍋的中心肚裡，就成了，這樣的木炭比較耐燒。一旦發現火焰太高，就將另一節煙囪扣上去，自然可以延長木炭的燃燒時間。父親沒有讀過什麼書，但是生活中的智慧倒是樣樣不缺，家裡任何的疑難雜症，都可以在父親的手上順利解決，例如修理拖板（木板拖鞋）上的帶子、釘製上下舖之間的梯子、編製竹籬笆、雞籠，那個年代，那種物資嚴重匱乏的時日，沒有兩把刷子，真是很難持家的。

因此，當我扛著一袋子的木炭走進眷村的大門後，小玩伴們就都好奇地迎了過來。他們以為我家的煤球斷貨，臨時要用木炭燒年夜飯，我就昂起下巴，得意的跟他們說，這是銅火鍋的燃料，我家今晚有銅火鍋吃；沒吃過的人，當然都跟在我的屁股後面，直穿我家客廳，去到後院，好奇地盯著那銅火鍋猛看，我還不准他們用手碰。至於舉起榔頭去敲木炭，更是某種慎重又嚴肅的程序，唯有與我較好的小友，我才讓他們敲兩下，如果敲得太碎，或是沒敲斷，我就立刻搶回榔頭，沒收他們舞動榔頭的權利。

準備火鍋料倒是一點都不難。母親早就自菜場搬回來魚丸、豆腐、大白菜、茼蒿、以及新鮮切片的涮豬肉。我後來在東北籍朋友的家中吃到酸白菜的銅火鍋，那又是另一樁人生大事，讓我的味蕾翻出了奇異花朵，迎到了前所未見的美妙新世界。

那時，家中還因太小，沒有佛龕擺設的位置，祭祖的儀式，就在年夜飯桌上舉行。母親多擺了碗筷酒杯，父親慎重地將杯中注滿黃酒；等到木炭燒旺，銅火鍋火燙地上了桌，父親與母親口中喃喃有詞的呼喚張家的列祖列宗回來團圓。我的注意力，則被銅火鍋上罩著的煙囪，由裡往外蹦蹦跳跳冒出來的火星子所吸引。那些火星子太神奇了，像是會跳舞的精靈，你繞過來，我繞過去，相互打探，卻不糾纏，歡喜旋轉了一、兩個圈圈後，就說好了似的，先後化成灰白的小點點，輕飄飄地滑落在其他的菜盤子上。我每每看傻了，妹妹當我故意作怪，誇張的拼出了鬥雞眼。

父親也鍾愛那銅火鍋，不停地舀了裡面的豆腐與大白菜，唏哩呼嚕地往嘴裡送，然後，就是悶著頭喝酒。母親是飯桌上的總司令，總是眼觀四方的掌控全局，一旦父親的眼睛冒出血絲，臉也紅得像番茄，母親就以手肘拐了一下身邊的父親，舉起杯子，一一對著每個兒女，說出不同的吉祥話；父親沒有母親的口才，只能隨附著母親的調，接著母親的腔，將吉祥話當成吞食燙豆腐一樣，反過來的囫圇吐出，既無餘韻，更無驚喜。

等到茼蒿可以下鍋了，就表示年夜飯已進入了最高潮。一大海碗的茼蒿，沒幾下子，就在鍋裡蔫成了一小團又一小團，我們紛紛下鍋去搶，很快的，全光了。雖然意猶未盡，但我的肚子真的飽到快要活生生的撐開來，只能不停地揉著肚皮。

就當我們全都放下了手中的筷子，唯有父親，雙眼穿過脹滿血絲的間隙，只是愣愣地盯著銅火鍋，機械式的撈著鍋裡的殘菜剩肉，意識彷彿騰空而去，越過臺灣海峽，經過南京大橋，穿梭到安徽滁縣的鄉下，那個前有池塘後有良田的祖厝，又與祖父母圍爐去了。

二姐偷偷地對大姐比了個手勢，說是父親酒醉，大姐回瞪了她一眼。從廚房端出麵條的母親，一聲不響的收走了父親面前的酒瓶，將麵條倒入銅火鍋裡，要大姐用筷子攪拌一下。然後，母親看著銅火鍋裡打轉的麵條，嘴裡說的卻是撂給父親的話：「好了齁，大過年的，不要因為幾口黃湯下肚就犯古（鬧脾氣），讓一家子都過不了一個好年……」母親的這招一向很管用，父親縹緲遊蕩的魂魄，瞬間又被母親給勾了回來；父親雙手捧起碗來，將半碗冷掉的湯倒進口中，咋了一下嘴後，就從軍夾克的大口袋裡，掏出了我們幾個望眼欲穿的壓歲錢，開始分發給我們。

年夜飯，就此結束。

兩個姊姊幫著母親收拾桌上的碗碗盤盤，妹妹拿著抹布擦拭桌布，父親掏出褲子口袋已然坐扁的香菸盒，抽出一支，搓搓揉揉的，想把香菸恢復成原來的形狀，可是，有點難。父親慣常的偏了一下頭，就是妥協的意味，然後點了火柴，很深很用力地吸了一口；我的眼睛不怕銅火鍋的木炭輕煙，卻很怕父親手中嗆人的菸味，被薰得有點酸麻乾澀，只能把頭轉到一邊去。整張桌子上，除了銅火鍋以外，全都收拾得乾乾淨淨。我問二姐，為何不把銅火鍋收進去，二姐說，母親交代，先放涼了，等到廚房空出來，再端進去。然後，我看到，銅火鍋裡乏人問津，沒人動過的麵條，已經脹成一大坨，爛在湯水中，像是華麗盛典過後的凌亂會場，滄桑裡帶有幾分悽楚與無奈。不過，我也知道，等到隔日上午，只要加熱後，倒進點辣椒醬油，就又是一餐天下無敵的鮮美聖品，我們幾個又會在鍋裡大搶特搶。

有時候，我也會想，我的家，其實也頗像那只銅火鍋。

陽春麵之戀

我的祖籍是皖北，雖然在臺灣生、臺灣長，每要面對麵食與米飯的抉擇時，我根本無須考慮，立刻抓著麵食不放。

去年身體出現不少狀況，今年年初，開始遵從中醫的囑咐，戒絕了許多行之多年的飲食習慣，其中居然包括了麵食，這對我還真是難為的考驗與煎熬。

小時候，家中偶爾加菜，燉了排骨湯，隔日上午，母親一定會加熱隔夜剩餘的湯，添入自滾水撈出的麵條，撒上些許蔥花，再補上兩根碧綠的青菜，那就是全天下最為美味的排骨湯麵。

此一美味可遇卻不可求，出自本能，我如蜥蜴般開放味蕾，積極探究外面的世界。

初中讀的是台中市立一中（現今的居仁

國中）。學校好，師資好，學生素質好，只有我不好；功課跟不上，初一就留級，乾脆封閉自己，學做蝸牛。每到週末，不帶便當，母親給了我零用錢；趕著大禮堂放映電影之前，我飛快奔往學校的後門，替我一週受到的高壓煎熬，尋求慰藉；那裡有我心目中名列第一的救贖聖品。

學校後門隔著一條窄窄的馬路，正對面，就是麵攤。老闆瘦瘦高高的，習慣皺眉頭，少話，從不笑；從煮麵到收錢，全都自己來。他的麵攤繚繞著一股白色往上衝的熱氣，熱氣有穿透力，隨著風，對著後校門吹送，把圍牆裡數不清的學子，全都給撩撥了過去。雖然也有餛飩麵、麻醬麵，我基於口袋裡微不足道的銀錢考量，當然是點上最便宜的陽春麵，兩塊錢。

說不上來他的湯頭，是否仍有其他的添加品？雖是大骨頭熬的，但湯底仍有一股醇厚且帶著鴉片味（我自以為是的遐想）的膠著劑，將我的味覺與嗅覺緊緊纏繞不放，那是某種癮頭，一沾了唇，終生便再也無法忘懷。

他的麵條是一般的寬麵，量不算多，只要筷子多夾兩次，就全都進了肚裡。我照例是先喝一口湯，那個美味啊，簡直就想當場躺在地上。然後，當然是挑起幾根麵，慢慢地咀嚼，清楚知道麵條的彈牙，以及麵香。接著擱進半勺橙紅的辣椒醬，讓白湯轉成淺紅；湯，倏然換了個調，帶點潑辣，像是電影裡豐臀細腰偉胸的蘇菲亞羅蘭。如果不是個頭比我高上三個腦袋的學長站在一旁催促，要我快點讓出位子，我肯定會忘記大禮堂準備要上演的《河孃淚》，繼續慢條斯理，細嚼慢嚥地享受我的陽春麵。

有一度，我背叛了學校後門的陽春麵。

原本功課很好，代數尤其厲害的林添盛，不知為何，初二也留級了，我們又再次同班。他的零用錢不虞匱乏，加上大方，願意與我分享，很自然的，每到下課放學了，他總是約我一同去吃點心。有一回，我拉著他去吃陽春麵，他沒吃完，有一大半都倒給我了，直說難吃，沒味道。他領著我跑到中華路，說是一家肉羹麵特別的好。

我對勾芡的食物興趣不大，但是他是付帳的人，我豈可拆他的臺？那碗肉羹麵，說是最好吃的肉條吧，也是裹上芡粉，加了五香粉，吃不出肉香味；麵是黃的，摻了鹼，微苦；湯當然不清爽，黏搭搭的，如果沒有香菜壓陣，更是粗糙得很。林添盛大概知道我太刁嘴，隔天，請我跟他一同坐了野雞車（叫客的計程車）去他的地盤——豐原，專程去吃廟口旁邊的夜市。我們先是吃了炸得酥脆的臭豆腐（雖然比不上挑著竹擔子，到我們村子來賣的老兵手藝），我還是吃得很歡喜；接著下來，當然是肉羹麵了。

或許我太嘴饞了，不敢得罪我的衣食父母，從喝了第一口肉羹湯開始，我就誇大了表情，猛烈的誇讚那湯頭（其實全是味精）的好，就連搭配的豆芽都爽脆可口；他很開懷，覺得有面子，就繼續帶著我去吃蜜豆冰。

從此，為了騙吃騙喝，我跟著林添盛，不再理會陽春麵。

初三的寒假，盲腸炎轉成腹膜炎，我動了兩個大刀，住了一個月的醫院；等到逐漸好轉，有胃口了，竟開始想念學校後門那陽春麵的好滋味；我很想跟陪著我的老爸說，但終究沒有開口，我猜，老爸肯定不會買，這兒子的命好不容易撿回來，當然得吃醫院乾淨的配膳，必得遠離外面不衛生的食物。

出院後，第一次回醫院換藥，父親不放心，還是陪同著我。回程到了潭子，下了公路局的公車，夜幕四合，路燈也亮了。才彎進回家的馬路，一股熟悉的香味，猛然灌進我的鼻腔；順著香味的來處，我發現鐵道邊，農會下班後關上的鐵門前，居然擺出了一臺賣麵的車子。老闆已經準備妥當，湯鍋冒著好看的白煙，滷菜櫃裡置滿了豬頭肉、豆干、海帶、滷蛋；很自然的，我停下了腳步。回頭看到我那副饞嘴痴相的父親，當然洞悉了我的心思，他只是輕聲叮嚀我一句，等下回家後，還是要把晚飯吃完，因為母親特意燉了鱸魚湯給我補身子。

我開心的坐了下來，父親幫我點了餛飩麵，我拚命搖頭，堅持要吃陽春麵；看來也是老兵掌廚的老闆說，餛飩好吃喔，不信吃吃看？我抿著嘴，就是指名陽春麵：父親對著老闆笑了笑，幫我點了陽春麵，外加一顆滷蛋。

如果學校後門的陽春麵是一百分，這家麵攤的陽春麵只能評上九十分；他煮的麵，火候有點過，偏爛；湯頭還是不錯的，肉味很濃，或許是豬頭肉過的水？起碼，這是我期待已久的一味，留得小命在，才能有口福啊！

升上高中後，學校在烏日，雖然還是與林添盛同班，因為回家的路太遠，他偶爾請我吃上福利社的一碗甜不辣，很難再約我去遠征夜市了。我終究也再無機會回到市一中的後門，回味一下夢魂牽縈的陽春麵。等到有一天意識到潭子農會前的麵攤，也早已物換星移，連舊時的街景都不復存在，又哪來的陽春麵？

我從此再也找不到合意、鍾情的陽春麵。

黃豆芽的滋味

四月清明，又是吃春餅的季節；春餅，有樣菜是必不可少——綠豆芽。料理過的綠豆芽，清脆可口，甚是討喜；相對之下，綠豆芽的兄弟——黃豆芽似乎就被冷落在一旁了。

小時候看過一部由嚴峻、林黛、胡金銓主演的電影《吃耳光的人》，片中有一幕，是眾兒女為辛勞的父親過生日；上菜時，飾演女兒與兒子的林黛與胡金銓有首對唱的歌，其中有段歌詞是「外加那常備的黃豆芽，提起黃豆芽我心裡怕，最好不要看見它，最好不要看見它……」看完電影後，我忽然也開始鄙視起黃豆芽，也討厭看到它。

幼時，家貧的飯桌上，便宜的綠豆芽與黃豆芽都是常客。綠豆芽炒韭菜，兩者相得益彰，就算是素的，沒有肉絲，將菜湯拌上飯，也都挺可口；黃豆芽則不然，黃豆芽經常是湯菜，一大碗湯湯水水，用杓子下探，熬湯的大腿骨光溜溜的，沒有附著一點肉，甚是無趣，頂多撈上來一團糾葛在一起的黃豆芽。當時佐飯的菜很少，黃豆芽就算清寡，也還是菜，也就如常的照單全收；只不過，看完電影後，我在飯桌上大聲杯葛起黃豆芽，外加唱上兩句電影中敵視黃豆芽的歌曲，姊姊在旁偷笑，母親以筷子敲了我兩記腦袋，惡狠狠地罵上一句「餓死算了！」。

真正開始正視起黃豆芽，竟是在日本的東京。辦公室對面，有一家規模不大的果蔬店，老闆很熱情，見到總要聊上幾句。有天經過，本想買盒雞蛋，老闆忽然指著菜攤上擺放著的青菜，大聲地跟我說：「張桑，你看看，這是什麼？」我低頭一看，居然是久違的青江菜；老闆得意的說，這是他在橫濱批發市場發現的。果然，彼時的日本，華人慣吃的青菜樣式不多，能夠與青江菜相遇，還真是歡喜；他跟我說，他已經打聽過，油熱後，先爆上薑片或是蒜瓣，翻炒幾下，再加上木耳或浸泡過的香菇，起鍋前灑點鹽與味精，就是道美味的中華料理；我回答他，味精少吃，會掉頭髮，他立刻脫下帽子，摸了摸泬頂的光禿腦袋，無奈地大笑起來。

隔了一陣，我再次路過蔬果店，老闆又神秘的把我抓進店裡，由冷藏箱裡拿出了一包菜，興奮地問我，可知這是何物？我定睛一看，嚇！這不是黃豆芽嗎？

在異鄉看到黃豆芽，一股親切感由腦神經下探到口腔與胃袋，我立即決定買下來；老闆問我，打算如何料理？我回覆他，等我晚上嘗試過，會將結果向他回報。

回家的路上，我開始在腦袋裡排列起料理黃豆芽的食譜。煮湯是免了，先炒著來吃吧。我路過一大超市，買了包雪裡紅，外加一小包新鮮辣椒。一到家，就開始洗手做晚餐。我切了些薑末，加了點糖，起鍋後，立刻不怕燙的嚐了一口，雖然被燙得呲牙咧嘴，但還是發現，黃豆芽沒炒透，有股夾生味，不甚可口，於是再次開火，將一盤菜重新炒了數分鐘，黃豆芽的夾生雖然改進，但是整體上來說，是個失敗之作，雪裡紅成了犧牲品，炒過頭了；我自此知道，炒黃豆芽不比綠豆芽，要更有耐性地對待，非得乾煸過後，再將副菜入鍋，才能炒出好滋味。

沒過幾天，我再次去買黃豆芽，掌握著要領後，果然滋味不同，真是好吃又爽口。隔日，我將預留的一小盒乾煸黃豆芽送給蔬果店的胖老闆，他當場就嚐了一口，眉飛色舞地跟我說，這可是了不得的料理，會是痛飲生啤酒的最佳良伴。他煞有其事的自圍兜裡拿出紙筆，當場要我將料理的方法說給他聽；老闆娘也好奇的湊上來，驚嘆聲連連的跟著不斷點著頭；我福至心靈的做各種延伸：例如黃豆芽炒豆皮，黃豆芽悶番茄，黃豆芽炒酸菜……。

人在國外，許多心緒會有所改變，對於故土的所有回憶，都會做某種相乘效果的加油添醋，黃豆芽的味道，自然就是最具代表性的例子之一。

而後，回到臺灣過日子，黃豆芽的身價並沒有因此而再次被我唾棄，雖然在超市的貨架上，黃豆芽的存在並不顯目，但我在購物時，還是會不時的青睞它，將它放入菜籃子裡。

每回家裡有客，我與妻都會很有默契地將黃豆芽列入菜單裡。老婆知道我耐性不夠，總是主動的先將黃豆芽的根鬚一根根的掐掉。每回看到老婆的不厭其煩，我都會興起慚愧心，然後聯想到，我以前之所以會厭煩黃豆芽，另一個因素是因為母親總是要派給我摘除根鬚的工作，那真是太煩人的工序，小玩伴在院子大叫我的名字，等我去玩官兵抓強盜，我卻得先伺候好黃豆芽，那是多麼讓人惱怒的刑罰呀！

因為老婆吃素，不少友人也茹素，這些年來，黃豆芽炒豆皮，已成為老婆待客的專利，而無需經過我的手；客人每每被那道炒得金黃的黃豆芽炒豆皮，誇到半天高；老婆在歡喜之餘，也總是不藏私地將這道菜的製作過程，鉅細靡遺地說得清清楚楚。

近些年，韓劇當道，韓式料理中，涼拌黃豆芽是經常擺在眼前的小菜之一；偶爾去吃韓國料理，我也都會央求老闆幫我添加涼拌黃豆芽。

其實，黃豆芽也可隱喻人的一生：年輕時，火大氣盛，不易馴服，那副來不及成熟，帶有夾生豆腥味的個性，往往不受歡迎。一直要到栽過跟斗，歷經人世的磨練，將身上那些扎人刺眼的稜角磨掉清除，打內裡展現出通達人情的言談舉止，才能開始被團體接納，進而獨當一面，尋到自己的立足點。是故，偶爾在朋友圈裡遇見帶有夾生、豆腥味，依然我行我素，睥睨眾生，不輕易妥協的友人，我總會帶點好奇的想詢問他們，人生百味中，黃豆芽這道菜，可愛入口？

螢火蟲上班囉！

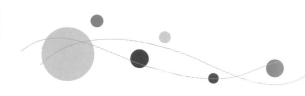

小時候，無聊的時間太多，遊戲的時間無數，有時，會找上小動物的麻煩，螢火蟲就是其中之一。

晉朝的車胤因為家窮，無油燃燈讀書，便抓了數十隻螢火蟲，裝在囊中苦讀。聽了這故事後，我對螢火蟲分外的著迷，就吆喝了村裡的小玩伴，暫時放下官兵捉強盜的激烈衝撞，鑽到河邊的草叢中去抓螢火蟲。我們找了一個裝牛奶的玻璃瓶，將螢火蟲塞進去，關上燈，在炎熱的暑天裡鑽進棉被裡，力倣古人的苦讀精神；只可惜，完全失敗，那數十隻螢火蟲明滅的時間不一，而且亮度更是不足，如何得以看書？頂多只夠扮起鬼來，嚇嚇膽子小的夥伴。

卻因為如此，我們傷害了不少螢火蟲，

沒讓牠們來得及傳宗接代，就犧牲了原本就為數不長的生命。

慢慢長大，每天費力的上學放學，根本無心觀察周邊世界的轉換，卻不知，屋後河流的上游，不知何時開了紙廠，每天奔騰著，冒著泡沫的烏黑髒水，替代了清澈有餘的清水；農田裡豎起印有死人骨頭的紙旗，擺明了農藥已侵毒了土地，慢慢地，別說是青蛙、蜻蜓了，就連螢火蟲也不見了蹤影。

如是這般，我幾乎已將螢火蟲自記憶的海洋中驅逐上岸了。某年某日，與蕭颯和她的愛女張緣餐敘，小女生餐前就與我們夫妻約好，飯後要去她家看好看的動漫。等到我循規蹈矩的落座在她家客廳，看起高畑勳執導的《螢火蟲之墓》後，我就後悔了，因為那是部專門刺激觀眾淚腺的片子啊。每到關鍵時刻，小女生都會偷偷的回頭，檢視我的表情；我無法移動我的坐姿，無法抽取桌上的衛生紙，更不敢回看小女生機靈觀察的眼神，那一晚，我最是後悔的，莫過於老是養不成攜帶手帕的習慣。

自此，螢火蟲，又再次飛舞進我的生命。

數年前，剛好去埔里找新故鄉基金會的廖嘉展、顏新珠夫婦談事，他倆剛好要帶著一群大學生去桃米坑的後山，實地觀察螢火蟲，自然就立刻拉著我上車。到了目的地，我興奮得像是小學生，跟在大學生的後面探頭探腦；大家分頭坐下，在黃昏裡席地野餐，一邊吃著點心，一邊等候螢火蟲上班。入夜後，或許那一季的螢火蟲比較懶散，沒有早早現身，取悅我們；不過，就算看見零散的幾隻螢火蟲在草叢中乍現，對我來說，已然十分療癒。

後來還是在埔里。

一回，帶著《點燈》節目的主持人齊豫，和她的經紀人，去埔里拍完外景，投宿於「景上景」民宿，老闆娘蕭太太於飯後領著我們，到距離民宿不遠的草滴濕地去看螢火蟲。那晚，螢火蟲大量出現，在濕地的草間、樹梢、水邊不停的舞動，像是選秀大會、相親大會、化妝舞會；我們幾個看得應接不暇，沿途大呼小叫的，是驚嘆，是讚美，也是歌頌；原來大自然的生物律動如此美妙，就連兒時都不曾看過如此浩大、動人的景象。

又過了好多年，年年都跟蕭先生、蕭太太相約，一定要再帶著友人去看螢火蟲，無奈都因大小雜事岔掉了。然後就是疫情來襲，人人都悶極了，誰都渴望能向螢火蟲一樣，可以毫無罣礙地自由飛舞，自在散發蓄積的能量。終於，今年的螢火蟲季節，友人一行七人，總算得以成行。

那晚，在濕地前方，我們在一對老夫妻經營的餐廳吃完地道的在地美味後，夜幕剛好低垂，七點半，恰好是螢火蟲的上班時間。走著走著，才一個小轉彎，步上產業道路，卻發現濕地貼近道路的邊上，不但都隔起了防範光害（來回的汽車燈火）的黑幔，就連原有的路燈都熄止不亮，為的也是更貼心的伺候螢火蟲們。蕭太太也叮嚀我們，沒有必要，就往道路的中間靠攏，不要隨意打開手機的燈火。我們都聽話的跟著蕭太太走著，心裡不禁有所感慨，時隔數年，埔里的生態被有心人維護得更是有模有樣，讓人由衷興起感佩之心。

也因為這一趟，我才得知，螢火蟲的陰陽比例約為二：八，也就是說，雄性螢火蟲必須使出全力與魅力，才能娶得心儀的嬌妻。蕭太太說，雌性螢火蟲大都蹲在草叢中，養尊處優的等候帥哥閃動著愛慕的燈火上門；至於雄性的螢火蟲，當然就要費力地四處飛舞，片刻不得閒；於是，一旦看到樹梢的螢火蟲在尋尋覓覓，我就忍不住地大喊：「傻瓜蛋！美女不會爬到那麼高，要去地上、水邊尋找才成啊。」

果不其然，進入四月後，蠢蠢欲動的疫情加速發熱，有些人驚嚇過度更是宅在家中，有些人相互安慰，覺得日子依然要過，在保護好自己的情況下，做該做的事。原本，一群友人早早約好，五月一日要到平溪去看螢火蟲，我雖然心癢難捱，但因是日有場演講，只好悻悻然的放棄；沒想到，演講因疫情後延，我得知後，立刻進群組報名，搭上了照常舉行的「看見螢火蟲」之旅。

熱心推廣老社區再造的平溪年輕人潘俊青，與里長、有識之士成立了「紫東社區發展協會」，平日做長照，照顧當地耆老，到廢校的東勢國小上課、遊藝，另外還開放空間給社會人士，品嚐當地美食之餘，可以點燃無公害的天燈，為家人祈福；螢火蟲季節，還能與螢火蟲來個相看兩不厭的聚會。

我們到訪的當天，陰雨綿綿，吃了當地志工媽媽們烹煮的可口晚餐後，雨勢突然加大，顯然不是螢火蟲上工的好時機。潘俊青與志工們卻好心地撐著傘在校園的草叢中穿梭，指引著我們的目光，看到一隻、兩隻、三隻，奮不顧身的螢火蟲，在加大的雨勢中，華麗現身。夠了！見到這幾隻敬業樂群的螢火蟲在雨中勤奮上班，我們都心滿意足，不忍牠們再持續奔波。上車離去前，我們齊聲約好：「平溪的螢火蟲！下一季，我們一定會回來的。」

風聲鶴唳中的東瀛行

二〇二〇年的十一月初，臺灣的疫情外張內弛，島內與外島的旅遊風潮方興未艾，僅是在網路上看見眾人爭相貼出放閃照片，便能瞧出端倪。

原本我也要走一趟日本，不為遊玩，純因公事；卻也被病痛臨時攪了一道，只能乖乖的看診休息，就連機票都退掉了。

等到二〇二一年五月，平地一聲雷，臺灣的好日子過盡，新冠病毒趁著乾燥無雨的流動空氣，一口氣趕跑了臺灣人引以為傲的小確幸，替之以驚駭、不安與憤怒的大災難。適巧，我的日本行卻迫在眉睫，不允許我再有所蹉跎。

我與老婆在極短的時間裡趕辦所有的手續；除了告知家人與極近的好友與同事，我們都密實的戴著口罩封口，避免被誤解為刻意「逃難」出國。

前往羽田機場的飛機上，大概有六、七十位乘客，沒有想像的清冷；直到下機時才得知，有近一半的人，將要在羽田機場轉機，繼續飛往夏威夷。我與老婆一時不察，專心在填入境時要交的申請文件，忘了下機，差點被歸納為夏威夷的客人（其實還真沒去過夏威夷）

既然排隊在最後通關，倒也不急，就慢慢來唄！

第一關是要申報剛才在機內來不及填完的報表，以及上機前七十二小時內檢測的陰性證明。輪到我們了，打開手機重新輸入，碰到方才老是碰壁，過不了關的部分，就連志工小姑娘都替我們著急；好在她的主管立刻要她帶領我們去一旁的電腦區，使用備妥的電腦來回應。小姑娘乾脆跪在我身邊，開始幫我輸入，我數次站起來，讓她坐著打，她都堅持跪著，害我坐也不是，站也不是。

好不容易通過第一關，第二關是檢疫區；我們拿著一個試管，外帶另一個喇叭型的接口，原來是要收集口水用的。在我隔壁吐口水的老婆，比我的速度快了一倍；她下機前喝過一杯水，我卻是忘了，難怪我在嘴裡翻江倒海的費盡力氣，才勉強將口水吐到試管的規定紅線上。

第三關是大陣仗，空曠的區域有好幾排分散的座椅，幾十位穿梭的志工以一配一的方式，伺候每一位入境旅客。此處，我們要下載三種APP，一個是萬一證實自己「高中」病毒的通報系統，一個是每天要回報自己所在地的系統，第三個是每天透過影像與「糾察人員」面對面對話的系統。輔助我的剛好是由緬甸到日本工作的志工；我偷偷問她，隔離的兩週內，可以去超市購買食材嗎？她立刻點頭道，沒有問題。

第四與第五關，分別要確認我們申請的APP是否無誤。我乘隙又偷偷問了一位年輕的志工，我最為關心的當然是萬一出去超市購物，被逮到了，怎麼辦？他回我道，照理他是不該告訴我的，但是，他教了我一「撇步」——萬一去購物時，收到回報「我在這裡」的方位簡訊時，千萬不要按，等到回到住處後再回報都可以。

於是我知道了，日本的檢疫當局，頗具人性化，他們「准許」你去超市購買食物，但絕對不准搭乘大眾交通工具。

第五關處，我被擋下來了，一項問卷上，我回答等下出關後，前往住處的交通工具，我填的是計程車，志工說，不准搭乘計程車，但可以搭乘「預約車」。我乖乖地改了過來。這是公式化的正確答案，但出關後，沒人管你，你的「預約車」，當然就是在候車區排班等候的計程車。

第六關，很緊張，藉由電視螢幕顯現的號碼，你要被宣判方才留下的口水，到底是陰還是陽？我的號碼先跳出來了，五分鐘後，老婆的才出現。我倆到櫃臺報告後，又有三關，分別是驗證、宣判以及再確認。幸好，我倆都是陰性，在官員的祝福下順利過關，我卻發現我的兩腿已經發軟。

又繞過很長的走道，才是過往一般入境的審查證件區。我因手續的關係，又在辦公室裡坐了三十分鐘。

飛機是下午六點落的地，我與老婆推著行李出關時，已經過了晚上九點；不但餓得慌，兩腳也輕飄飄的，好似餓了七天七夜，沒了元氣。

到了住處，我與老婆火速偷溜去便利超商買飯糰與飲料。發現有人沒戴口罩，有人群聚在車站外面喝啤酒……，我們嚇得快步行軍，老婆還兀自後悔，忘了多帶一層口罩。

昏睡一晚，隔天早上起來後，我們胡亂吃了點前晚剩下的食物。沒過多久，第一通確認我們沒事的視訊電話進來；親切的志工還主動跟我們說，去超市買東西沒問題，但千萬不要前往人多處，尤其是不可搭乘大眾交通工具。

於是，我們正式進入為期兩週的自主隔離。

感謝老友W，將他位於上野車站附近的公寓，借給我們夫妻，作為「防疫旅館」。由他的公寓窗口，可以看見整片綠蔭扶疏的上野公園。於是，以上野公園作為中心點，我每天下午三點後，就展開了可貴的放封時刻。總共四條路線，每條線路都可經過最少一家超市，對日本檢疫單位來說，我是誠實的，因為我每天都會帶回一袋子的吃食，證明我的確是去了超市；更何況，入關時也曾簽下「誓約書」，具名發誓，不可以違背兩週裡需要遵守的誓約。

兩週下來，我的生活比在臺北更是規律。每天上午起床後，先是做半小時的運動、上廁所；然後再以半小時蹲馬步、打太極；接著就面對檢疫的抽查、回訊息。然後就是吃早午飯、寫稿一小時、讀經一小時、去超市來回一萬步、吃晚飯、看電視、讀經、打太極、熄燈就寢；幾乎沒有任何時間上的誤差。

值得一提的是，每天在查訪的視頻上，日本防疫系統的工作人員，人人都非常禮貌；我跟老婆說，奧運即將上場，屆時會有九萬名左右的選手與教練團入境，此刻，剛好是訓練工作人員的關鍵時期。老婆說，難怪有時候工作人員，比我們都還要緊張。

兩週過後，順利出關了。家人建議我們乾脆在日本接種疫苗，我們只當隨順因緣，如果因緣成熟，當然就打啦。另外，當地好友建議我們留下來看奧運，我倒是立刻回絕——人多的群聚環境不可靠，咱們還是打道回臺，繼續自保，才能安心啊！

旅途中遇見老師

我喜歡印度食品，尤其是辛辣咖哩配上麵香四溢的囊餅，簡直好吃到撐破肚皮也無怨無悔。

過去前往東京，尤其上野一帶，不曾留意過，無論是大樓裡的食肆，或是大道巷弄裡，印度餐廳還真是多。一位住在當地的友人告訴我，該一地帶有許多印度人開設的珠寶店，為了節稅，商家會覓地另開一家印度餐廳，有的甚至就在珠寶店的隔壁，就算餐廳的生意冷清都不會倒閉。原來如此，難怪坊間都在預言，聰明的印度人，勢必會在全球的政商圈崢嶸頭角，就算不想出人頭地都很難。

不曾預料到，前一陣的一趟旅途中，我居然就遇見了數位人生道路上的老師，而且極度湊巧——都是印度人。

某日清晨，我們一行工作夥伴，由新加坡的樟宜機場，飛往澳洲的大城雪梨。那是個廉價航空的班機，我們在機場都是自行辦理登機手續，就在登機前，還因攝影器材沒有通過地勤人員的規定，另行被帶至飛機貨倉安放。等到上機後，才發現全機爆滿，預先期待有空位得以躺平的好運道也成了白日夢。

一旦入座，立即發現不妙，我是中間靠走道的位子，隔著走道，右手邊坐著的是一印度婦人，身側應該是她的丈夫；飛機尚未起飛，他倆就輪流在咳嗽，間歇還有濃痰在喉間冒出（雖然大家都戴有口罩，但那婦人老是將口罩拉到鼻孔下方）；我心中暗念一聲佛號，求請佛菩薩保佑，千萬別讓我在八個小時的航行中被病毒侵染上身。

飛機升空一小時後，空服人員開始分發餐點，我們事先已有預訂，正好早已飢腸轆轆，也就開心的吃將起來。右邊那婦人沒有，但她的先生有，兩人商議後，婦人又回頭找後座一男子（看來是她們的兒子）詢問，然後當場向空服員追加餐點。我一看婦人拉下口罩，立刻將自己面前大半個三明治塞進嘴裡，火速戴好口罩，卻因此差一點沒給噎著，只能拚命翻白眼。

就在飯後的空檔中，許多乘客起身去上洗手間，我這才發現，原來我們這班飛機的印度裔乘客還真是多，難怪空氣中一直飄浮著一股咖哩味道。

飛機順利地降落在雪梨機場後，我身側的那位印度婦人忽然由病厭厭的模樣，變身為活力無限的女金剛；我才剛要站起，已經由置物艙拿下行李的她，一個技術性的犯規～用她豐厚的臀部，將我隔離在座位上，讓她的老公順利出位，站在走道上；我有點憋不住，差點笑了出來。

旅客開始向前移動，魚貫下機，我自是望著前面婦人的背影，依序前進，不敢造次超越。此時，忽然發現腳後跟被後面旅客的行李箱壓到，顯然那人非常心急；等到被壓三次後，我一回頭，發現是一位印度小子，他很識相，立刻跟我說聲對不起；只不過，說完對不起，他的行李箱又繼續侵犯我的腳後跟，像是飢餓的公雞飢不擇食的將我的腳後跟當成了蠕動的毛毛蟲。我雖然不斷告誡自己別生氣，但被侵犯的感覺實在不佳，只好回過頭跟那印度小子說聲，走慢點可好？他又接連回了我三個對不起。

旅客人潮在進入證件審查的大廳前，因為紅龍柱的空間安放的有點寬，以致旅客特別的擁擠；我踮腳向前望，前面的人潮都很有秩序的單行列隊，為何我們這一節竟擠成三列？於是發現，是我鄰座的那兩位印度夫妻拚命往前擠，任性地要超前，有的人不開心，不肯讓他倆過，自然就擠成一堆了。他倆在轉彎處被阻，我這一列順勢流通，竟然再度與那對夫婦並肩而行；他倆毅力不撓的繼續想超車，使力向我施壓，我的無名火頓起，當然不讓；就在微妙的抗衡對峙中，我一個轉念，心想，何必與他們一般見識呢？早出關五分鐘又如何呢？我往後退一步，他倆順利超前；也因為他倆的超前，我們這一節的人潮彷彿瞬間找到了秩序，彼此都相讓，自然列成一行，壅塞自動解除；我再往前看，那對夫婦真神，已竄前了二十公尺都不止。

本來以為這下可以緩解情緒了，沒想到我的背忽然被後面的人撞了一下，一個回頭，發現是一印度老者，他的隨身行李不少，他用腳將一個重袋踢往紅龍柱的另一側時（可以暫時擺脫重物的負擔），揹著的另一件行李順勢甩到我的背。我這才發現，新加坡機場登機前，要檢查行李，這老者剛好在我前方，為了他攜帶的一瓶水被沒收，死纏爛打的與安檢人員糾纏，那好話說盡的安檢實在沒法子，只好搖頭撤退，換上另一位態度較威嚴的安檢上陣，那老者才氣沖沖的放棄捨不得的一瓶水。

我可是知道好歹的人，更不會莽撞地捅到蜜蜂窩，既然冤家路窄，我還是知難而退才能保平安，於是大手一揮，讓他先過，走到我前面去；他很高興，對我一笑，剛好露出還沒補齊的門牙來。

終於，隨著人潮的前行，輪到我將證件遞進窗口了，我這才發現隔壁窗口竟是那對夫婦，不知道他們的證件出了什麼狀況，被窗口的官員不斷盤問著，狀似遇到了麻煩。

我這邊檢查站內友善的女性官員，沒有詢問我任何問題，還祝福我假期快樂，就讓我快速過關；我在通關時，反倒有點同情那對被卡關的夫婦，回頭看了他們一眼，祝福他們得以順利脫困。

禪宗六祖惠能的千古名句：「菩提本無樹，明鏡亦非臺，本來無一物，何處惹塵埃」。這趟雪梨之行，遇到考驗，點出了我無謂生出的煩惱與愚癡。如今回望，還真該感謝那幾位印度大叔大嬸與年輕人，當了我的老師，讓我照見易怒易感的習性，及時修正自己的言行，最後也才能順利的走完全程，如願地完成任務。

最是舒心溫泉鄉

在日本居留十二年，回臺後，最為思念的不是生魚片、茶泡飯、拉麵、生馬肉、生牛肝……，而是怡情美心，通體舒暢的溫泉鄉。

剛到日本的那一年秋天，住在船橋「日華寮」留學生宿舍，來自香港的李君、廣東的阮君，早早吆喝，尋得一週末，約了幾位華人女留學生，一同去日光賞楓葉。沒想到，好不容易盼到的假期，卻遇到了陰雨寒凍的壞天氣，才兜了一段路，連鞋子都濕了，誰還會有興致在濕答答的冰雨中，打量那垂頭喪氣，幽暗無光的楓葉一眼？於是，兩位召集人火速決定，轉搭巴士，前往鬼怒川溫泉的上游，聽說有一露天溫泉非常有名，重點是男女混浴。

同行的女同學們紛紛跺腳噘嘴，大罵我們幾個男生色膽包天，她們就算一同前往，也抵死不會入浴。李君與阮君偷偷咬耳朵，我倒是聽到了：「日本的女生才不會如此扭扭揑揑……。」

到了目的地，那幾位女同學硬是與我們唱反調，找了家咖啡店喝咖啡，與我們男生劃清界線；其實，這也正中我們的下懷，甩掉那些放不開的女生，我們不是更為開懷自由了？

興沖沖地趕到露天溫泉的入口，交了錢，入內脫下衣褲，魚貫衝入冷風不時吹散熱氣的浴池邊；大傢伙本想觀望一下，李君卻帶頭下水，但隨即聽到一聲拔尖的訓斥，原來一位花甲大嬸怒指李君，要先在浴池邊上淨過身後，才可以入池。

這下子，我們立刻循規蹈矩地蹲了下來，以木頭臉盆，自池裡舀出熱水，由頭淋下，接連沖了三臉盆，才敢乖乖地滑入浴池裡。一開始，幾個人還帶點羞赧，放不開手腳，不敢公然地左顧右盼；慢慢地，身體在溫泉裡泡舒了，膽子泡大了，連頭皮都覺得要冒汗，自然就浮起上半身，順勢坐在浴池邊的石砌矮敦上；這才發現，這個男女混浴的浴池，女性的確比男性多，但重點是沒有一位年輕的，全是皺皮鬆垮的大媽們……。

好一個乘興而來，敗興而去。在咖啡廳等候我們的幾個女生一聽到我們的悲慘遭遇，個個笑得花枝亂顫，還譏笑我們幾個男生虧大了，都被大媽們給看個精光。

我卻自此愛上了溫泉。

除非是療養用的溫泉租屋，需要自行備餐，不然一般的溫泉旅館都備有一頓晚餐，以及次日的早餐。通常，我們都是午後近黃昏時入住。進入房間後，旅館備有甜點與熱茶，先把嘴與心給甜美溫柔一下，接著當然要去泡湯。通常，我喜歡選擇有露天溫泉的旅館；在室內泡鬆身心後，轉至室外，尤其是雪國的露天溫泉，一片片的雪花飄落頭頂，毫無重量感，像是慈母一雙柔慈的手心，輕輕碰觸頭髮，瞬間連整個心都給融化。然後坐身起來，接受低溫空氣的洗禮，讓皮膚的毛細孔全都抖擻立正，等於是天然的三溫暖。不過，曾有兩位好友，玩心太重，忘記身無衣物禦寒，一位站在池邊玩耍屋頂垂下來的冰棍，一位用雪塗抹上身，結果都患上重感冒，在床上躺了一整天，哪兒都不能去。

洗完澡後，回到房間，女中已將一張張小桌的餐食，布了個滿席，由生魚片炸物、烤魚……到味噌湯，以及一鍋香噴噴的米飯。不過，先別急，如果錯過下面的儀式，泡湯之樂必會打個不小的折扣——自冰箱取出已經先行訂妥的冰啤酒，緩緩倒進玻璃杯，泡沫約占杯子的三成，然後再一口飲盡——哈！請您想像一下，被溫泉燙熱的全身，包括五臟六腑，經過這杯冰啤酒的洗禮，該是如何的通體舒暢，飄飄欲仙。

我後來患上了胃食道逆流，多少也與當年仗著年輕，與壞朋友（冰啤酒）為伍有關吧？

飯後，帶著微醺，不用說，穿著旅館的浴衣，踏著旅館的拖板鞋，搖搖晃晃的在溫泉街的石板路上，踢踢趿趿地與他人的，組成高低不同音調的「木屐交響曲」，那個熱鬧勁兒，直把日本八〇年代絕高的平成景氣，帶到了最高潮。等到走累了，逛厭了，尋得一拉麵店，掀開門簾，來碗拉麵，再加上一杯生啤，外帶一壺溫熱的清酒；這一晚的溫泉行旅，算是可以打上九十分了。

回到旅店，腹部自是鼓脹的，沒關係，緩步進入大浴場，重新洗頭淋浴，順便在烤箱坐上十分鐘；然後至浴池泡個五分鐘，再推開浴室的門，至室外的露天浴池浸泡，隨後起來，坐在池邊片刻，重複入池、起身；說也奇怪，滿腹的酒菜麵飯，就像是有了隱身術，都不知藏匿去何處了，身體不再感覺到任何的負擔，不但輕盈起來，也覺得幸福滿懷。

走回房間，女中早就撤掉了杯碗，鋪好了床褥。才一關燈，鑽進暖和和的棉被裡，倒數計時，不到十秒鐘，就迅速進入夢鄉，一夜都不會起來如廁。次日清晨，女中如約，七點就來敲房門叫早；趕緊聽話地起身，揉著惺忪的雙眼，迷迷糊糊的直接去了大澡堂；但是，要請注意，早上的澡堂，經常是與前日的男女對調，千萬不要跟隨昨日的記憶，走錯了澡堂，那會糗到抬不起頭來。清晨泡澡，最能清心醒腦，一等熱汗流淌，整天的精神都極好。等到泡完湯，走回房間，不但被褥全被清理乾淨，秀色可餐的早飯，也都冒著熱氣地堆滿小桌，等著你來再祭一祭五臟廟。

世間事不可能百年不變。日本長期的不景氣，外帶疫情影響，許多溫泉旅館紛紛倒閉，溫泉街也蕭條冷清；幸運存活下來的，裁減員工，減少開支，變得人味少了些，風情淡了些，許多大型旅館乾脆以自助餐，取代了昔日待客如親的接待規格。幸好，溫泉，還是燙的，人心，也是熱的。

壽喜燒的祕密

沒有吃過「壽喜燒」之前，我已經聽過〈壽喜燒〉。

彼時，六〇年代的臺灣社會，經濟才剛要起飛，百業待舉；受到美國文化的影響，西洋歌曲成為熱門音樂，有一天，我在收音機聽到一首很特別的歌曲，男歌手的唱腔有點悲涼，歌詞不像英文，大姐說，是日文；但為何就叫作〈壽喜燒〉呢？（難道老美對日本的認識只是停留在「壽喜燒」上？）

直到八〇年代，我到了日本，跟著日本友人在聚餐後，前往小酒館唱卡拉ＯＫ，這才知道，當年聽到的〈壽喜燒〉，原唱者就是坂本九；該曲的日文版是首勵志歌曲，譯名應該是〈往上前行〉；不過，管它是〈壽喜燒〉」或是〈往上前行〉，這首歌在當年就是紅翻了，不但日本人都會唱，還唱進了美國熱門音樂的排行榜。

後知後覺的我，在日本第一次吃到壽喜燒，是在朋友高秀蘭的家裡。曾在臺視擔任導播的高秀蘭，嫁到了日本，初到日本的我，受到她與夫婿伊藤樣的諸多照顧。一個週末，我去她家作客，伊藤樣說，晚上來吃壽喜燒，我還陪同他到荻窪車站附近的大超市，購買牛肉、板豆腐、大白菜、大蔥、茼蒿、蒟蒻……等食材。

回到家，將食材清洗好後，伊藤樣將紅白相間，令人垂涎的花樣牛肉，放在白色的瓷盤，青菜、大蔥等配菜，則置於半圓的竹簍上。專門烹製「壽喜燒」的鐵鍋，在移動式的瓦斯爐上加熱後，伊藤樣先將肉店致贈的四方牛油塊，在鍋底平均的抹拭，一股油香味立刻在鼻尖暈散了開來。等到牛油塊就要溶解完畢，伊藤樣將熱水加入鍋裡，隨後倒入醬油，兩大杓砂糖，湯滾開來，大白菜、大蔥、板豆腐，依序入鍋，然後，就是牛肉的堂皇登場。

畢竟是客，我不好如他倆的小兒子般，立刻向牛肉進攻，但是善解人意的伊藤樣，主動夾了一大塊牛肉放進我打有一顆新鮮雞蛋的碗裡，並囑咐我趕緊趁熱吃。

原本是剛出鍋的熱騰騰牛肉，在蛋汁的包容下，不但不燙嘴，牛肉好像沒有纖維一般，還沒來得及讓我咀嚼兩三下，就慌不溜丟的滑進了喉嚨與胃袋；然後，我才開始品味方才的口感——醬油與砂糖的混合滋味，雖然偏甜了些，卻是過去不曾嚐過的新鮮感，然後我懂了，這不就是烹煮紅燒肉的基本配味嗎？

就在我們都將牛肉分食後，我才有機會吃到大白菜、板豆腐、蒟蒻的清甜與醇美；十分鐘不到，我已添了兩碗白米飯，沒想到湯汁加米飯的搭檔也可如此華美。那一晚，我不知自己是如何載負著滿腹的食物，掙扎著無力的雙腳，艱辛萬苦的搭上電車，回到住處。

而後，聯合報系在東京的辦公室成立，我成了《民生報》的駐日記者，日子忽然開始忙碌起來，學校、採訪、寫稿……成了每天必備的行程不說，也因為要應付當年旅日職棒三巨頭「二郭一莊」（西武隊的郭泰源、中日隊的郭源治、羅德隊的莊勝雄）的報導，我必須與《聯合報》的姐妹報《產經新聞》的運動部主任、編輯，建立良好的社交關係，以便在最快時間裡拿到最新的比賽紀錄；於是，我們每個月一次的聚會，就分外重要了。

輪到我做東時，我請《產經》的朋友去新宿的「東京飯店」、「隨園餐廳」、涉谷的「臺灣料理」吃中國菜。他們最是歡喜的就是宮保雞丁、蔥爆牛肉配上加熱的紹興酒，每每喝到腳步蹣跚，然後轉到小酒館繼續灌醉自己。

輪到他們當主人時，他們往往都會詢問我，想吃什麼，我自是客氣的客隨主便，聽任他們的安排，然後，我才發現，當時的運動部主任後藤樣特別愛去有樂町的一家「壽喜燒」；等到慢慢熟識，主任才逐漸敞開心扉，聊些心裡話。主任說，他在九州出生長大，當時戰敗沒多久，日子過得非常困難，經常連一碗白飯都吃不上。有一年過生日，他吵著要母親做壽喜燒吃，這下真是難為了母親；後來，他不知道母親去變賣了唯一貴重的一件和服，居然就煮了一鍋壽喜燒，把他開心到像是上了天堂似的。一直到隔年過年，他才得知母親變賣了和服，從此，他多年不碰壽喜燒。

後來，出了社會，成了家，要養家養孩子，有限的薪水要精打細算，換成他要務實地滿足孩子的願望，一到孩子的生日或是節慶，就要買上上等的牛肉，讓老婆煮上一大鍋的壽喜燒；只因孩子正在成長，那些牛肉，他與老婆一片都捨不得吃，全都讓給了兩個孩子。

與我相約，他若是做主人，拿了收據，就可以去報社報帳，因此，後藤樣對壽喜燒」的一往情深，我自是可以理解；有時候，他不好意思直說，換了我指名，咱們還是去吃壽喜燒吧。每每，我實在吃不下了，他還是會追加一客牛肉，要我再加油，到了最後，往往都是他將追加的牛肉全都吃光了。看到他眉飛色舞的解決那一大盤牛肉，我猜，母親當年為他賣掉的和服，或許也會在他眼前飄曳生姿吧。

回到臺灣後，我幾乎沒有機會去碰觸壽喜燒，或許，那種偏甜偏鹹的味道原本就不是我所鍾愛的菜，反倒是每次去唱KTV，我總是會點上〈壽喜燒〉，喔，〈往上前行〉這首歌。我一邊唱，一邊想，主唱這首歌的坂本久，多年前剛好搭上了在富士山墜機的那班日航班機；發現飛機發生故障，長時間在空中如雲霄飛車似的高速升降時，坂本久會是什麼心境？他是否會感慨，往上前行一輩子，最終也不該遭此悲慘後果，一曲成讖吧？還有，當它遇難後，他的妻子與孩子，一旦吃到「壽喜燒」時，該會如何思念起這位未竟天年的苦命丈夫、爸爸呢？

斗哥的幸福轉運站

作者 張光斗
主編 林正文
校對 林秋芬
行銷企劃 陳玟利
封面設計 沈家音
內頁設計 江麗姿

董事長 趙政岷
出版者 時報文化出版企業股份有限公司
一〇八〇一九 台北市和平西路三段二四〇號七樓
發行專線 （〇二）二三〇六六八四二
讀者服務專線 〇八〇〇二三一七〇五
（〇二）二三〇四七一〇三
讀者服務傳真 （〇二）二三〇四六八五八
郵撥 一九三四四七二四 時報文化出版公司
信箱 一〇八九九 臺北華江橋郵局第九九信箱
時報悅讀網 http://www.readingtimes.com.tw
法律顧問 理律法律事務所 陳長文律師、李念祖律師
印刷 紘億印刷有限公司
一版一刷 二〇二三年八月十八日
一版四刷 二〇二四年三月十二日
定價 新台幣三八〇元
（缺頁或破損的書，請寄回更換）

時報文化出版公司成立於一九七五年，
並於一九九九年股票上櫃公開發行，於二〇〇八年脫離中時集團非屬旺中，
以「尊重智慧與創意的文化事業」為信念。

斗哥的幸福轉運站 / 張光斗著 . -- 一版 . -- 臺北市 :
時報文化出版企業股份有限公司 , 2023.08
面； 公分

ISBN 978-626-374-203-1(平裝)
1.CST: 張光斗 2.CST: 文學

863.55 112012600

ISBN 978-626-374-203-1
Printed in Taiwan